D1200353

Kama Sutra

Kama Sutra est l'adaptation française de *The Concise Kama Sutra*
conçu, réalisé et publié par Hamlyn/Octopus Publishing Group Limited, Londres

ADAPTATION FRANÇAISE : ML ÉDITIONS, Paris,
avec Marie Ducand et Christiane Keukens-Poirier
Traduction : Anne Sauvêtre

Sous la direction de l'équipe éditoriale de Sélection du Reader's Digest
Direction éditoriale : Gérard Chenuet
Responsable de l'ouvrage : Bénédicte Robbe
Lecture-correction : Catherine Decayeux
Fabrication : Frédéric Pecqueux
Couverture : Sarbacane Design

PREMIÈRE ÉDITION
ÉDITION ORIGINALE
© 2000, Octopus Publishing Group Limited

ÉDITION FRANÇAISE
© 2000, Sélection du Reader's Digest, SA,
212, boulevard Saint-Germain, 75007 Paris

© 2000, NV Reader's Digest, SA,
20, boulevard Paepsem, 1070 Bruxelles

© 2000, Sélection du Reader's Digest (Canada), Ltée,
1100, boulevard René-Lévesque Ouest, Montréal (Québec) H3B 5H5

© 2000, Sélection du Reader's Digest, SA
Räffelstrasse 11, « Gallushof », 8021 Zurich

ISBN 2-7098-1194-4

Tous droits de traduction, d'adaptation et de reproduction,
sous quelque forme que ce soit, réservés pour tous pays.

Achevé d'imprimer : septembre 2000
Dépôt légal en France : octobre 2000
Dépôt légal en Belgique : D-2000-0621-92

Imprimé en Chine

Kama Sutra

ANNE JOHNSON

d'après la traduction originale de sir Richard Burton

Sélection
du Reader's Digest

PARIS • BRUXELLES • MONTRÉAL • ZURICH

7   *Introduction*

15   *Une vie de plaisir*

31   *Le Kama Shastra*

47   *L'art de la séduction*

63   *L'épouse vierge*

79   *De l'acte d'amour*

95   *Les fruits défendus*

111   *La souffrance et le plaisir*

127   *L'épouse d'autrui*

143   *La vie de l'épouse*

159   *La vie de la courtisane*

175   *Toniques et potions*

190   *Index et remerciements*

~ *sommaire* ~

Introduction

Le *Kama Sutra* est l'une des œuvres les plus anciennes et les plus célèbres jamais écrites sur la science érotique. C'est aussi un texte très plaisant et très agréable à lire.

Malheureusement, aujourd'hui encore, en dépit de la libération des mœurs, le *Kama Sutra* passe souvent pour un manuel d'éducation sexuelle ou, pis encore, un livre de chevet, voire un ouvrage pornographique. Or, il n'y a rien de pornographique dans ce bréviaire de l'amour, qu'il ne faut pas réduire à un simple guide des pratiques amoureuses. Candide et rafraîchissant à la fois, il offre une liberté de ton indéniable, parfois sans détour, mais ne tombe jamais dans la vulgarité. Et, malgré sa réputation, il ne traite pas exclusivement de l'art d'aimer. Il va bien au-delà en étudiant des thèmes beaucoup plus vastes sur la société, la culture, la politique, l'économie, la philosophie et la morale.

Son but est d'être, avant tout, un traité sur l'art de vivre (dont l'érotisme ne représente qu'un aspect) du citadin raffiné et civilisé.

De fait, il s'agit d'un précis sur les conventions sociales et les pratiques sexuelles, qui s'adresse aux classes aisées de l'Inde ancienne. Son titre, qui signifie la «science du plaisir», et son style presque clinique, disons même académique, contrastent parfois de manière involontairement drôle avec le sujet.

Mais nous évoquerons ici le plaisir érotique, tant il est vrai qu'il n'y a pas de meilleur moyen de comprendre les êtres humains que d'entrer dans l'intimité de leur vie sexuelle. Le sexe est non seulement un bon moyen de commencer à comprendre une autre culture, mais aussi un bon moyen de commencer à comprendre un autre individu.

Vatsyayana

L'auteur du *Kama Sutra*, Mallanaga Vatsyayana, est fort peu connu. C'était un brahmane, un lettré, qui vivait dans la cité de Pataliputra vers le IVe siècle de notre ère.

En fait, le *Kama Sutra* de Vatsyayana ne prétend pas être une œuvre originale, mais une compilation de plusieurs ouvrages. Le rédacteur affirme cependant avoir expérimenté par lui-même toutes les pratiques qu'il décrit dans son recueil.

Vatsyayana s'inspire notamment de la doctrine d'érotologie hindoue qui avait déjà cours au Ier siècle. Lorsqu'il décida de faire cette compilation, la plupart de ses sources de référence étaient devenues difficiles d'accès, de sorte qu'il entreprit de les réunir et de les résumer dans son *Kama Sutra*. Ce texte, qui est devenu l'ouvrage classique sur le sujet, est de manière indéniable marqué par la personnalité de cet ancien sage.

Le sutra est un aphorisme, écrit sous une forme condensée et versifiée, qui rend la formulation d'un principe la plus brève possible. Destiné à être mémorisé, il était ensuite expliqué et commenté par un maître. Les sutras avaient sans doute la faveur de tous les ouvrages techniques hindous à une époque où l'écriture était peu répandue, permettant ainsi aux élèves de retenir plus facilement les passages importants. Tous les textes sanskrits fondamentaux sur la logique, la grammaire et la philosophie étaient écrits en sutras, y compris le dictionnaire, les règles d'écriture et les traités scientifiques.

Les commentaires font donc partie intégrante de l'enseignement. Par modestie, Vatsyayana parle de lui-même à la troisième personne lorsqu'il émet un avis personnel qu'il formule ainsi : « L'opinion de Vatsyayana est que [...]. »

Plein de sagesse, mais sans lassitude à l'égard du monde, Vatsyayana traite son sujet avec une impartialité et un détachement parfois presque cliniques. Mais son œuvre, qui rend avant tout hommage aux valeurs humaines, est aussi un hymne à la tolérance et à la raison. Malgré les objections de certains lettrés, Vatsyayana insiste pour que les femmes lisent son ouvrage et argumente avec son pragmatisme habituel teinté d'humanisme.

Il ne faut pas oublier que Vatsyayana a réalisé cette compilation il y a bien des siècles. Force est de constater que son œuvre reste, malgré tout, d'une actualité surprenante et d'une pertinence remarquable pour notre époque. C'est un guide de l'amour dont la valeur est intemporelle et universelle.

Tous les écrivains indiens de la postérité n'ont pu qu'adhérer à la pensée de l'ancien sage et tous, jusqu'au plus modeste d'entre eux, ont reconnu la valeur de son enseignement à travers les siècles. En composant le *Kama Sutra*, Vatsyayana a écrit l'un des chefs-d'œuvre de la littérature universelle qui nous transporte dans un monde d'enchantement, de plaisir et de volupté.

Traduction

La première traduction anglaise du *Kama Sutra* est due
à sir Richard Burton, célèbre explorateur, anthropologue et
linguiste du XIXe siècle. Publiée en 1883, l'œuvre scandalisa
un public alors peu averti. Sa réédition dans les années 1960,
marquées par la libération des mœurs, fut considérée comme
l'un des grands événements littéraires du XXe siècle.

Parmi les traductions de Burton figurent plusieurs ouvrages
érotiques autres que le *Kama Sutra*, notamment *Arabian
Nights* (*les Mille et Une Nuits*) et *The Perfumed Garden*, pour
lesquels il fut menacé de poursuites judiciaires en vertu
de la loi britannique de 1857 sur les publications obscènes.
Burton, qui parlait vingt-cinq langues et de multiples
dialectes, avait voyagé dans le monde entier.

Sa version du *Kama Sutra* n'est pas la seule, mais elle est
la plus ancienne et certainement la plus souvent citée.
Une nouvelle et excellente traduction est parue en 1992
sous la plume d'Alain Daniélou, l'un des plus éminents
orientalistes contemporains, dont les études sur la religion,
la société, la musique et l'art de l'Inde lui ont valu le respect
de nombreux universitaires.

une vie de plaisir

Après avoir acquis le savoir nécessaire dans son enfance, l'homme, qui exploite les biens qu'il a pu s'octroyer par le don, la conquête, le commerce ou l'héritage, doit devenir un maître de maison responsable et mener la vie d'un citadin fortuné. C'est une vie de grand luxe, de plaisir facile et de prompt divertissement.

Une vie harmonieuse

L'homme, durant les trois grandes périodes de la vie
– l'enfance, l'âge adulte et la vieillesse –, doit poursuivre
tour à tour les trois buts fondamentaux de son existence.
Autrement dit, il doit se réaliser sur trois plans,
interdépendants et présents à tous les âges. L'enfance, qui
dure jusqu'à seize ans, doit être consacrée à l'acquisition
du savoir, à travers l'apprentissage élémentaire de la lecture et
du calcul, mais aussi des sciences enseignées par des maîtres
respectés et des savants. Durant sa jeunesse, l'homme doit
vivre dans la chasteté. Puis, à l'âge adulte, il doit pratiquer
Artha, qui consiste dans l'acquisition des arts et des richesses
matérielles – la terre, l'or, le bétail, le mobilier, les amis,
les vêtements, et autres –, et Kama, l'art d'aimer, l'érotisme
et l'éveil aux plaisirs des cinq sens, l'ouïe, le toucher, la vue,
le goût et l'odorat, dont les approches sont précisément
définies à l'aide du *Kama Sutra*. Enfin, l'homme, dans son
vieil âge, doit se consacrer à Dharma, c'est-à-dire pratiquer
la vertu, la spiritualité, le sacrifice rituel en se conformant
aux règles prescrites dans les écritures.

*L'homme, dont la période de vie est de cent ans, doit pratiquer
Dharma, Artha et Kama à différentes époques et dans un souci
d'harmonie, sans que l'un nuise à l'autre. Il doit s'appliquer à
l'acquisition du savoir dans son enfance ; dans la jeunesse et l'âge mûr,
il pratiquera Artha et Kama, et dans la vieillesse, il se consacrera à
Dharma.*

Kama Sutra

Les trois buts de la vie

L'apprentissage du Kama passe par l'étude approfondie du *Kama Sutra* et des pratiques de nos semblables. Toutefois, si l'érotisme est essentiel à la survie de l'homme, comme la nourriture est indispensable à son existence, ce n'est pas l'unique facteur qui mérite d'être pris au sérieux, mais seulement l'un des trois buts principaux de la vie. L'homme qui cherche à réaliser ces trois buts sur le plan de la richesse, de l'amour et de la vertu, et qui choisit délibérément les modes de comportement qui lui permettent de les accomplir tous trois, est le plus apte à atteindre son objectif suprême, sans effort et sans peine, afin de connaître le plus grand bonheur possible ici-bas et dans l'au-delà. La volonté exagérée de poursuivre l'un de ces buts – que ce soit la richesse, le devoir ou le plaisir – en négligeant les deux autres risque de nuire à leur accomplissement. À l'inverse, l'échec dans l'un de ces trois domaines peut compromettre la réalisation de l'ensemble, faisant ainsi obstacle au bonheur de l'homme.

Cette œuvre n'est pas destinée à être utilisée simplement comme un instrument de satisfaction de nos désirs. La personne […] qui préserve Dharma, Artha et Kama, et respecte les pratiques d'autrui, saura mieux parvenir à la maîtrise des sens […] et à la réussite de tout ce qu'elle pourra entreprendre.

Kama Sutra

La maison de l'amant

Le parfait citadin est un maître de maison qui élit domicile dans une ville ou une bourgade où résident des gens de qualité. Sa demeure doit être située près de l'eau, entourée d'un jardin pourvu de deux balançoires, l'une tournante et l'autre ordinaire, dans un berceau de verdure agrémenté de belles plantes grimpantes et jonché de fleurs, avec un banc pour s'asseoir. La maison d'habitation se divise en deux appartements : l'appartement extérieur et l'appartement intérieur. Ce dernier est occupé par les femmes, tandis que le premier est une chambre d'amour embaumée de riches parfums. Le lit est recouvert d'un drap d'une blancheur immaculée, surmonté de guirlandes et orné de bouquets de fleurs. Des oiseaux chantent dans les volières et sur une couche sont disposés des pots d'onguents parfumés pour la nuit. Près de la couche, un crachoir, une boîte à bijoux, un luth pendu à une défense d'éléphant, une table à jouer aux dés, des livres, du matériel à dessin et des accessoires pour le filage, la sculpture sur bois et autres distractions de ce genre. Il doit aussi y avoir des colliers d'amarantes jaunes.

La chambre d'amour [...] doit abriter un divan, moelleux, agréable à l'œil [...] et deux oreillers, l'un à la tête, l'autre au pied. Des onguents pour la nuit, des fleurs, des vases contenant des essences parfumées et d'autres substances odorantes qui rafraîchissent la bouche, ainsi que des écorces de citron doivent y être disposés.

Kama Sutra

La journée de l'amant

Après un lever très matinal, le citadin bien élevé procède
à une toilette soigneuse selon un rite élaboré. Il se lave les
dents avec une préparation composée d'ingrédients parfumés,
s'enduit le corps d'onguents et de fragrances, puis se colore
le contour des yeux et les lèvres, après quoi il doit mâcher
des feuilles de bétel pour se parfumer agréablement la
bouche. Il doit aussi prendre un bain quotidien, surtout avant
d'absorber de la nourriture, se passer de l'huile sur le corps,
se faire masser tous les deux jours et se savonner tous les trois
jours pour adoucir la peau. Tous les quatre jours, il doit se
tailler la barbe et la moustache à trois pointes, le cinquième
ou le dixième jour se faire raser les poils du corps par un
barbier, y compris ceux des aisselles et du sexe, qui doivent
être dégagés pour les activités sexuelles. Le citadin doit
accomplir tous ces gestes sans faute, en prenant soin
de combattre la transpiration des aisselles. Il doit toujours
se parfumer pour masquer les mauvaises odeurs et être
d'un contact agréable.

*Après un lever matinal, le maître de maison commence par
accomplir ses besoins naturels, doit se laver les dents, appliquer des
onguents et des parfums avec parcimonie sur le corps, se parer de
quelques ornements, se maquiller les paupières et le dessous des yeux,
se colorer les lèvres avec de l'alacktaka et se regarder dans un miroir.
Après avoir mangé des feuilles de bétel [...], il doit vaquer à ses
occupations journalières.*

Kama Sutra

Le mode de vie de l'amant

Le repas du matin, après le bain, est suivi d'une collation
dans l'après-midi et d'un autre repas en soirée, bien qu'il soit
conseillé de terminer la digestion avant de se remettre à table.
Les aliments des anciens hindous étaient de quatre sortes : ceux
que l'on mâche, que l'on lèche, que l'on suce et que l'on boit.
Le blé, le riz, le seigle, les pois chiches, les lentilles, le beurre
clarifié (*ghî*) et la viande constituaient la nourriture de base.
Des biscuits salés étaient servis avant le plat principal et des
mets sucrés terminaient le repas, après quoi l'on s'adonnait
à des divertissements tranquilles tels qu'apprendre à parler aux
perroquets et aux mainates, deux compagnons fort appréciés
avec qui l'on entretenait d'affectueuses relations. Ces oiseaux
servaient aussi, en temps de paix, à porter des messages
d'amour et, en temps de guerre, des instructions et des missives
secrètes. Les hommes apprécient aussi les combats de coqs,
de perdrix ou de béliers. Converser avec les oiseaux et assister à
des combats d'animaux sont autant de distractions qui figurent
au nombre des soixante-quatre arts d'agrément. Le citadin
a aussi le loisir de parler de ses rendez-vous et de ses soucis
à son régisseur, son compagnon de plaisir ou son secrétaire, qui
jouent chacun le rôle d'intermédiaire. Enfin, il a coutume de
faire la sieste dont on dit qu'elle repose et fortifie le corps.

*Il prend ses repas dans la matinée, dans l'après-midi, et encore
le soir, comme le prescrit Charayana. Après déjeuner, il s'occupe
d'apprendre à parler aux perroquets et à d'autres oiseaux, puis viennent
les combats de coqs, de perdrix et de béliers [...]. Après quoi, le chef
de la maison, s'étant revêtu de ses habits et ornements, passe l'après-
midi en conversation avec ses amis.*

Kama Sutra

Les loisirs de l'amant

Le soir venu, le gentilhomme s'habille avec élégance de vêtements de soie et de laine et met des bijoux précieux sertis de diamants, de perles, d'émeraudes ou de rubis. Il se pare aussi de superbes colliers de fleurs fraîches et chatoyantes avant de se rendre à une somptueuse réception à laquelle participent musiciens, comédiens, chanteurs et danseurs réunis pour l'occasion. De nombreux invités, parmi les plus distingués et les plus cultivés, sont conviés à ces réunions où se côtoient savants, poètes, spécialistes de l'histoire ancienne et autres conteurs de récits légendaires. Le divertissement du soir peut être un concert, une pièce de théâtre, une ballade, des lectures de poèmes ou de récits héroïques, assortis de chants et de danses. Après la réception, le citadin bien élevé regagne ses quartiers d'habitation pour y retrouver dans sa chambre sa compagne préférée qui l'attend, ou la fait appeler ou va la chercher lui-même. À son arrivée, il l'accueille avec son confident et lui adresse des paroles aimables et affectueuses. Ainsi s'achèvent agréablement les activités de la journée.

Le soir, on écoute de la musique. Ensuite, le maître de maison, en compagnie de son ami, attend dans sa chambre préalablement décorée et parfumée la venue de la femme qui peut lui être attachée, ou envoie une messagère à sa rencontre, ou va lui-même la trouver [...]. Ainsi s'achèvent les dernières obligations de la journée.

Kama Sutra

Distractions et amusements

Toutes sortes de loisirs sont organisés pour distraire le citadin, tels les fêtes saisonnières, les pique-niques et autres réceptions dont la plupart ont lieu dans des jardins ou chez des amis. Lors de certaines réunions, on discute d'art et de littérature, mais il y a aussi des festivités et des pèlerinages au sanctuaire de plusieurs déesses, comme Sarasvatî, patronne de la danse et de la musique. L'étranger, même s'il ne fait pas partie des invités, doit être accueilli avec respect à tous ces festivals. Des fêtes pour boire prennent place à date fixe, tous les quinze jours ou tous les mois ; les convives y boivent du vin, des liqueurs fortes, du rhum à base de mélasse, du jus de mangue additionné d'épices et de l'hydromel. Les boissons enivrantes sont censées donner de l'énergie et du courage et stimuler l'érotisme de la gent masculine, la présence des courtisanes étant de règle dans toutes ces réjouissances. On sert aux invités un choix de friandises salées, de sucreries au goût très relevé, de mets épicés et de salades. Les promenades vivifiantes dans la campagne, où l'on cueille des fruits et des fleurs, ainsi que les chevauchées de plaisir sont très prisées et jugées particulièrement bonnes pour la santé. Quand viennent les beaux jours, on s'adonne à des jeux aquatiques au bord d'un lac artificiel ou d'un étang, sans crocodile.

Voici les divertissements et les amusements auxquels on doit se livrer occasionnellement : les festivals en l'honneur de plusieurs divinités, les réceptions des deux sexes, les fêtes à boire, les parties de campagne et autres plaisirs en société.

Kama Sutra

le Kama
Shastra

Pour faire des relations sexuelles une expérience heureuse et réussie, il faut acquérir avant tout une parfaite connaissance de la science érotique à travers les soixante-quatre arts d'agrément à la disposition du prétendant accompli, tant pour son plaisir que pour celui de ses proches.

La technique érotique

Il est essentiel de bien connaître la science érotique pour réussir un rapport sexuel. Le pénis ne doit pas pénétrer la femme sans que cet acte soit précédé des indispensables préliminaires, dont les variantes représentent soixante-quatre éléments. Cet ensemble de techniques est mentionné comme les « soixante-quatre ». Plusieurs explications ont été avancées pour justifier le choix d'une telle appellation. C'est peut-être, tout simplement, parce que ces techniques érotiques étaient exposées à l'origine en soixante-quatre chapitres. Ou peut-être parce que l'auteur de cette partie de l'ouvrage venait du pays de Panchala, à l'instar des grands sages qui avaient divisé le *Rigveda* en soixante-quatre parties. C'est dans le respect de ces enseignements sur l'art d'aimer que ces techniques ont ainsi été mises en parallèle avec le grand texte sacré. Mais les disciples de Babhravya offrent une autre explication encore plus simple à ce propos, en affirmant que l'on dénombre huit catégories de pratiques érotiques, chacune étant divisée à son tour en huit autres types ; or, huit fois huit égale soixante-quatre.

Cette partie du Kama Shastra ayant trait à l'union sexuelle est aussi appelée les Soixante-quatre [...]. Les disciples de Babhravya disent [...] qu'elle comporte huit sujets : les étreintes, les baisers, l'art de griffer avec les ongles ou les doigts, les morsures, le coucher, les cris, la femme jouant le rôle de l'homme et l'auparishtaka, ou coït buccal. Chacun de ces sujets ayant huit divisions, et huit multiplié par huit donnant soixante-quatre, cette partie est [...] appelée les Soixante-quatre.

Kama Sutra

Caractéristiques sexuelles

L'homme est fort et supérieur, tandis que la femme est timide et faible. Tels sont les traits naturels qui caractérisent les deux sexes. Leurs tempéraments différents, et souvent opposés, jouent un rôle indéniable dans leurs relations : lui est agressif et dominateur, elle est fragile et soumise. C'est ce qui amène l'homme à assaillir la femme, qui, à son tour, endure ses coups en gémissant. Il en résulte, à l'extrême, que l'homme passionné peut aimer battre sa partenaire, même si cela revient à lui infliger une souffrance, tandis que la femme peut aimer recevoir des coups et chercher activement à être battue, ce qu'elle indique par une série de soupirs et de gémissements. Il arrive qu'elle dissimule ses tendances naturelles pour adopter un comportement viril. Les caractéristiques sexuelles ne sont pas toujours universelles et il n'y a que dans certains pays et dans certaines situations que la femme peut se montrer assez dure et déterminée et se débarrasser de ses craintes, de sorte que l'inversion des rôles n'est pas très fréquente. Même quand elle se produit, elle est souvent de courte durée, et les rôles ne tardent pas à revenir à la normalité.

Les caractéristiques du sexe masculin sont, de l'avis général, la rudesse et l'impétuosité, tandis que la faiblesse, la tendresse, la sensibilité et l'inclination à l'évitement des choses déplaisantes sont les marques distinctives du sexe féminin. L'excitation de la passion et certaines particularités de l'habitude peuvent quelquefois donner des résultats contraires, mais la nature finit toujours par reprendre le dessus.

Kama Sutra

Quand la passion vous saisit

Les baisers sont un élément important de la copulation
– aussi important, en réalité, que toutes les pratiques
auxquelles s'adonnent deux personnes avant de faire l'amour,
tels les griffures, les morsures et les coups qui aident à
stimuler le désir, prélude essentiel à l'acte sexuel. Selon
Vatsyayana, lorsqu'un couple est saisi par la passion, il n'a pas
d'ordre à respecter dans ses jeux érotiques, car l'amour se
moque du temps, de l'ordre, de la rime et de la raison. Il n'y
a pas de règles dans les préliminaires. Au premier abord, il est
important de ne pas se concentrer trop longtemps sur une
seule chose. Tout doit se faire en douceur, avec précaution,
lenteur et modération, jusqu'à ce que l'on ait instauré
la confiance suffisante pour mieux enflammer le désir. Quoi
qu'il en soit, on ne peut pas tout faire en même temps ;
il faut donc agir successivement. L'ordre à suivre est dicté
par le désir et par la confiance qui doivent augmenter
simultanément. Durant la copulation, le contrôle de soi et
la prudence, qui étaient auparavant de mise, ne revêtent plus
tant d'importance, et un rapport durable devient alors
possible entre le désir et l'acte sexuel.

*L'opinion de Vatsyayana [...] est que tout est bon à tout
moment, l'amour n'ayant souci ni de temps ni d'ordre. Durant les
préliminaires, il faut user modérément des baisers comme des autres
pratiques ci-dessus mentionnées, ne pas les continuer longtemps et
alterner les plaisirs.*

Kama Sutra

Questions de mesure

Outre les préférences personnelles dont on doit tenir
compte, il existe plusieurs méthodes de pénétration qui
conviennent mieux aux couples en particulier selon la
dimension et la forme de leurs organes sexuels. La femme
biche, par exemple, autrement dit celle qui a un type de
vagin – ou *yoni* – étroit et peu profond, et dont le partenaire
est un homme cheval ayant un sexe de gros calibre, doit
veiller à s'étendre de façon à dilater le plus possible
l'ouverture. Il y a trois manières de procéder : la femme peut
incliner la tête et relever la taille : c'est la position grande
ouverte ; ou elle peut soulever les cuisses en les tenant
écartées : c'est la position béante ou épanouie, ou encore
replier les cuisses vers l'arrière dans la position dite de
«la reine du Ciel», du nom de l'épouse d'Indra, roi du Ciel.
Cette posture exige de la pratique. La femme éléphant, au
vagin large et profond, qui reçoit un partenaire lièvre de petit
calibre, doit s'allonger et contracter l'ouverture. Lorsque
l'homme et la femme ont des organes sexuels bien assortis,
la femme n'a pas besoin de dilater ni de contracter son vagin.

Dans le «congrès supérieur», la femme miringi *(biche) doit se
coucher de façon à élargir son yoni, tandis que dans le «congrès
inférieur», la femme* hastini *(éléphant) se couche en le contractant.
Mais, dans un «congrès à égalité», c'est la position naturelle qui
est adoptée.*

Kama Sutra

Le travail de l'homme

Tout ce qui est entrepris pour stimuler le plaisir de la femme est considéré comme faisant partie du travail de l'homme, qui doit prendre l'initiative : tandis que la femme s'étend sur son lit, il détourne son attention en lui susurrant des mots tendres et commence à défaire son sous-vêtement. Si elle tente de lui résister, il l'enlace passionnément et la couvre de baisers. Puis, lorsque sa verge est en érection, il caresse sa partenaire et promène ses mains sur son corps, en douceur et avec délicatesse. Si elle est timide et que c'est la première fois qu'ils sont ensemble dans cette situation, il doit glisser les mains entre ses cuisses, qu'elle essaie parfois de garder serrées. Il va aussi poser les mains sur ses seins, qu'elle peut vouloir couvrir avec les siennes.

Il la saisit par les cheveux et le menton en même temps qu'il lui donne un baiser. Si c'est une jeune fille, elle va peut-être fermer les yeux par timidité. L'homme doit savoir lui adresser des paroles aimables, surtout si c'est une femme adulte qui a de l'expérience.

La femme est étendue sur son lit [...]; il dénoue à son insu sa jupe de dessous et, si elle commence à l'invectiver, il l'interrompt en la couvrant de baisers. Alors, son linga mis en érection, il promène ses mains par endroits et caresse délicatement certaines parties de son corps.

Kama Sutra

L'amant attentif

L'homme se concentre sur les pratiques qui lui procurent la plus grande jouissance durant la copulation, mais l'amant attentif se fait fort d'assouvir les besoins et les désirs de sa partenaire en même temps que les siens. Les signes de plaisir que donne la femme et la satisfaction qu'elle éprouve à l'issue du rapport doivent être évidents pour son amant. Elle se détend, elle peut fermer les yeux et a probablement envie d'un contact aussi étroit que possible entre leurs deux organes sexuels – le sien et celui de son amant. En revanche, si, malgré ses attentions, il ne la fait pas jouir et laisse son désir insatisfait, cela paraît tout aussi évident. Elle aura probablement les mains qui tremblent, elle aura l'air triste et pourra même aller jusqu'à mordre et frapper son amant pour lui manifester son mécontentement. Elle demeure parfois agitée après que l'homme a éjaculé pour lui montrer que ce n'est pas parce qu'il est parvenu au comble de la jouissance qu'elle ne désire pas continuer. Si c'est le cas, il faut que l'homme glisse les doigts dans le vagin de la fille jusqu'à ce qu'elle désire se faire prendre, puis, lorsqu'elle est satisfaite, l'homme doit la pénétrer dans la plénitude de l'union sexuelle.

En pareil cas, l'homme frotte le yoni de la femme avec la main et les doigts (comme le ferait une trompe d'éléphant) avant d'engager le congrès, jusqu'à ce que sa démangeaison soit calmée ; puis il s'occupe d'introduire son linga.

Kama Sutra

Le respect des principes

Le prétendant avisé qui fait usage des soixante-quatre doctrines de Kama énoncées par Babhravya saura toujours conquérir les femmes les plus expertes. Même s'il s'exprime avec autorité sur toutes sortes d'autres sujets, il ne peut pas gagner le respect des lettrés en sa compagnie s'il ne maîtrise pas les soixante-quatre arts érotiques. En revanche, s'il est ignorant faute d'avoir été éduqué, mais qu'il connaît bien les soixante-quatre éléments de la science érotique, il ne tardera pas à s'imposer comme un meneur d'hommes ou de femmes dans toute société. Comment ne pas manifester un immense respect pour les soixante-quatre doctrines quand elles sont tenues en si haute estime par un si grand nombre de gens, des plus savants aux simples courtisanes ? La qualité de sa vie amoureuse n'en sera que plus remarquable. Mais ce traité n'est pas destiné à servir uniquement d'instrument pour satisfaire ses désirs physiques. Il va beaucoup plus loin. Les soixante-quatre arts sont d'une extrême importance et ne peuvent qu'ajouter au talent érotique de toutes les femmes de sa vie, aussi bien sa chère épouse que les épouses des autres et les courtisanes avec qui il a une liaison.

Quel est l'homme qui ne respecte pas les soixante-quatre arts si l'on considère qu'ils ont le respect des lettrés, des savants et des courtisanes […] ? Un homme versé dans les soixante-quatre arts est chéri de sa propre épouse, de celles d'autrui, comme des courtisanes.

Kama Sutra

l'art
de la
séduction

Si la polygamie est une pratique courante dans l'Inde du IVe siècle, l'institution du mariage n'en est pas moins significative et très recherchée. La manière dont l'homme choisit et courtise sa future épouse est donc de la plus haute importance.

De l'âge du mariage

Quand une fille vierge se marie dans sa propre caste selon les préceptes des livres sacrés, les conséquences de cette union sont multiples. L'acquisition de Dharma (la vertu), Artha (la richesse) et Kama (l'amour), le désir d'avoir des enfants et d'agrandir le cercle de ses relations sont ses objectifs. C'est pourquoi le garçon doit fixer son choix sur une jeune fille de bonne famille, respectable, fortunée, d'un commerce agréable, au moins trois ans plus jeune que lui et dont les parents sont encore en vie. Pour sceller cette union, les parents de la jeune fille qui est en âge d'être mariée doivent faire tout leur possible pour organiser une rencontre. Ils l'habillent de beaux vêtements en ayant à l'esprit qu'un objet qui n'est pas présenté avec soin n'attire pas le chaland. Ils veillent à ce qu'elle aille avec ses amies dans toutes les soirées fréquentées où elle est sûre d'être vue par le plus grand nombre. Ses camarades l'accompagnent dans le plus grand nombre possible de manifestations sportives, de cérémonies religieuses et de mariages, où elle peut faire la connaissance de gens du même milieu et du même âge.

Lorsqu'une fille est bonne à marier, ses parents lui mettent de beaux habits et la produisent partout où elle peut être vue. Chaque après-midi, après l'avoir vêtue et parée avec élégance, ils l'envoient avec ses amies assister à des tournois sportifs, des sacrifices et des cérémonies de mariage, la faisant ainsi voir à son avantage en société.

Kama Sutra

Le rôle des parents

Les parents attentionnés de la jeune fille, qui sont soucieux de son bonheur futur, doivent accueillir chez eux tous les visiteurs avec des paroles aimables en signe d'amitié et de sympathie. Cela s'applique, en particulier, aux prétendants, élégamment vêtus pour la circonstance, qui leur rendent visite après avoir accompli toutes les cérémonies qui portent chance. Ils viennent, accompagnés de leurs amis et de leurs proches, demander aux parents la main de leur fille. Si elle dort trop, si elle est d'humeur triste, si elle sort souvent ou si elle est déjà fiancée à un autre, il faut renoncer au mariage. Selon certains rites, la prospérité n'est acquise que par le mariage avec une fille à qui l'on est attaché et dont on est amoureux. Lors de cette rencontre, la fille est parée de beaux vêtements qui la rendent aussi séduisante que possible, car elle ressemble davantage à une marchandise qu'il faut exposer sous un jour favorable aux acheteurs éventuels, et ses parents doivent user d'un prétexte quelconque pour faire les présentations. Mais tant que le mariage n'est pas décidé, le garçon est seulement autorisé à jeter un regard furtif sur les luxueux ornements et les bijoux de la fille, qui ne se montre pas jusqu'au moment du don.

Ils doivent aussi accueillir avec des paroles aimables et des témoignages d'amitié les personnes de favorable apparence que leur amènent la famille ou les amis en vue du mariage de leur fille, qu'ils présentent alors, somptueusement vêtue, sous un prétexte ou un autre.

Kama Sutra

L'observance des rites

Après ce contact initial, il faut voir la tournure des événements et s'en remettre aux augures. Pour se faire une opinion, les parents n'arrêtent pas immédiatement leur choix mais fixent plusieurs autres rendez-vous : une première rencontre, qui peut aboutir à un accord sur le mariage de leur fille, suivie d'une autre pour préparer la cérémonie, après avoir consulté les présages avec l'aide des amis et de la famille. Les parents de la jeune fille demandent alors au prétendant et à ses amis de prendre un bain rituel et de partager leur repas. Puis ils leur disent : « Tout ira bien, revenez plus tard » sans prendre de décision immédiate, mais en prévoyant de régler ultérieurement tous les détails des festivités. Le prétendant et ses amis, vêtus de blanc, doivent alors se rendre devant l'autel des divinités funèbres pour payer leur dette aux ancêtres en présentant quatre offrandes aux morts. La cérémonie de mariage a lieu plus tard, selon la tradition locale et conformément aux prescriptions des livres sacrés. Le rite royal consacre l'union de la fille et du garçon pour qu'ils « pratiquent ensemble la vertu ».

Cela fait, on attendra le bon plaisir de la fortune avant de décider de la date du mariage. Le jour venu, lorsque le groupe du prétendant arrive, les parents de la fille [...] leur disent : « Tout ira bien, revenez plus tard. »

Kama Sutra

Le mariage entre égaux

Pour réussir un mariage heureux, il est important de comprendre que sur les vingt-trois formes d'union, il y en a seulement quatre qui méritent notre considération : le mariage de type sacerdotal, royal, ancestral et astral. Le rite sacerdotal consiste à dire : « D'un cœur joyeux je te donne ma fille, couverte de bijoux. » Dans le rite royal, on prononce la formule suivante : « Puissiez-vous ensemble pratiquer la vertu. » Le mariage ancestral prévoit de donner la fille en échange de deux taureaux. Et le rite astral consiste à faire le serment du mariage sur l'autel familial. Seuls ces quatre types de mariage sont conformes aux préceptes des livres sacrés. Par ailleurs, on considère que, pour réussir un mariage heureux, il faut s'associer et se marier avec ses pareils – autrement dit, les gens de son milieu, qui ne sont ni supérieurs ni inférieurs, de même qu'il faut travailler avec ses égaux. Les meilleures unions sont celles que l'on a avec des personnes de même religion qui ont, par conséquent, les mêmes valeurs et respectent les mêmes principes. Cela engendre un état d'harmonie et de bonheur, alors que, si deux personnes ont des valeurs vraiment très différentes, il leur sera beaucoup plus difficile d'entretenir de bonnes relations.

Les divertissements de société, tels que compléter des vers commencés par d'autres, le mariage et les cérémonies propitiatoires ne doivent se pratiquer ni avec des supérieurs, ni avec des inférieurs, mais entre égaux.

Kama Sutra

Une juste alliance

L'homme avisé évitera d'épouser une femme de condition supérieure à la sienne, car cela voudrait dire qu'après leur mariage il finirait par mener une vie de serviteur, constamment soumis aux caprices et aux désirs de son épouse et de ses proches, eux aussi de condition supérieure. Cette «haute alliance» se produit lorsque la femme est riche, contrairement à son futur époux, ce qui rend leur union inégale. De même, celui qui se lie à une fille plus pauvre se comporte en maître, tandis qu'elle devient son esclave. L'homme sage évitera ce genre d'union qui ne laisse guère présager un mariage heureux. Qualifiée de basse alliance, cette union se produit surtout si la fille est pauvre et que le garçon est riche, ce qui accentue encore l'inégalité du couple. En principe, ce genre de mariage est d'autant plus déconseillé que le mode de vie des deux conjoints est très différent et, à plus forte raison, leurs rapports avec autrui. La bonne entente du couple est liée à l'égalité de sa condition et à l'établissement de relations sur un pied d'égalité.

On dit qu'il y a haute alliance lorsqu'un homme, après avoir épousé une fille, doit la servir, elle et ses parents, comme un domestique ; une telle union est déconseillée par les gens de bien. Les sages qualifient de basse alliance, en la condamnant, l'union de celui qui, de concert avec ses parents, agit en despote envers sa femme.

Kama Sutra

Partager les mêmes valeurs

Quand, par ailleurs, deux personnes, riches ou pauvres, sont du même milieu, et donc de la même condition, leur union a de bien meilleures chances d'être heureuse et durable. Mais cette notion d'égalité va bien au-delà du partage des richesses matérielles. Elle signifie, en outre, que l'homme et la femme ont les mêmes intérêts, les mêmes goûts, la même allure, les mêmes aspirations, les mêmes ambitions, les mêmes idéaux et les mêmes valeurs. Ces couples sont extrêmement chanceux et ont tous les atouts en main pour réussir leur mariage. Dans ce cas, les conjoints sont presque toujours en accord l'un avec l'autre. Cette compréhension mutuelle fortifie leur union et leur permet ainsi de se mettre en valeur l'un l'autre, ce qui favorise grandement la solidité des liens qui les unissent. Cette alliance la plus juste est vivement recommandée partout où elle est possible. L'amitié et l'amour, qui représentent deux valeurs essentielles pour un mariage heureux, ont plus de chance de s'épanouir entre égaux qu'entre deux personnes de milieux très différents.

Mais lorsque les époux se rendent mutuellement agréables l'un à l'autre et que leurs parents les respectent également, cela s'appelle une bonne alliance au sens propre du terme. L'homme, par conséquent, ne doit contracter ni une haute alliance, qui l'obligerait ensuite à s'abaisser devant les parents, ni une basse alliance, que chacun réprouve.

Kama Sutra

Une bonne proposition

En définitive et malgré tous les dires, une fille doit toujours
épouser l'homme qu'elle aime. Il est, à ses yeux, celui qui
peut lui rester fidèle et lui procurer le plus grand bonheur.
Celle qui cherche avant tout à s'enrichir et se marie donc
avec un homme fortuné sans même tenir compte du fait
qu'il n'est ni séduisant ni aimable ne peut trouver le
bonheur. Et celle qui se lie avec un homme ayant déjà
plusieurs épouses ne se sentira jamais véritablement attachée
à lui, même s'il a de réelles qualités et lui reste fidèlement
soumis tout en étant robuste, en bonne santé, actif et désireux
de lui plaire. En revanche, un mari fidèle qui a une parfaite
maîtrise de soi semble beaucoup mieux convenir – même
s'il est pauvre comme Job et laid comme un pou – qu'un bel
homme ayant déjà plusieurs épouses. L'homme dont
la position sociale s'est largement détériorée et n'est pas
souvent chez lui ne mérite pas d'être marié.

*Un homme à l'esprit grossier, ou déchu de sa position sociale,
ou trop porté à voyager ne mérite pas qu'on l'épouse, tout comme celui
qui a beaucoup de femmes et d'enfants ou qui se passionne pour le
sport et le jeu et ne vient trouver sa femme que s'il en a envie.*

Kama Sutra

l'épouse
vierge

Avant d'initier sa nouvelle épouse aux plaisirs de la vie conjugale, l'homme doit avant tout faire preuve d'une bonne dose de patience et de compréhension en pensant à la crainte qu'elle éprouve sans doute à l'idée de ce qui se prépare. Il doit surtout chercher à la rassurer.

Les premiers temps

Une fois mariée, la jeune épouse vient habiter chez son mari, mais, au début, il lui est interdit d'accomplir son devoir conjugal, car elle risque d'être encore assez craintive pour la suite des événements. Le garçon doit arriver à la décontracter et à la rassurer. C'est pourquoi il leur est absolument interdit de faire l'amour pendant les trois premières nuits. Les époux doivent dormir à même le sol, chastement, côte à côte. Ils ne doivent pas manger de nourriture salée ni épicée, mais du miel, du lait et du beurre clarifié. Durant une semaine, ils doivent aller se baigner dans la rivière, au son de la musique, puis s'habiller avec élégance, prendre leurs repas ensemble et accomplir les tâches ménagères quotidiennes. Ils traitent avec égards leur famille, leurs amis et tous ceux qui ont assisté à la cérémonie nuptiale. La fille accomplit les rites de vénération des dieux, à qui elle présente des offrandes de parfums et de fleurs. Elle peut être encore modeste et timide dans les premiers temps, hésitant à être seule avec lui, surtout la nuit. Telle est donc la règle que chacun doit observer, quelle que soit sa caste.

Pendant les trois premiers jours qui suivent le mariage, l'homme et la femme doivent coucher sur le plancher, s'abstenir de plaisirs sexuels et ne pas prendre de nourriture assaisonnée de sel. Les sept jours suivants, ils se baigneront au son de joyeux instruments de musique, se pareront, dîneront ensemble.

Kama Sutra

Détendre la jeune mariée

Durant la dixième nuit, le mari commence à entreprendre sa jeune épouse en lui disant des mots tendres pour essayer de la mettre à l'aise et lui donner confiance. Des manières trop abruptes peuvent l'amener à se rétracter et à avoir une réaction hostile envers le sexe masculin et les rapports qu'elle imagine qu'il désire avoir avec elle. De l'avis de certains, il est préférable pour le garçon de se taire pendant les trois premiers jours et d'attendre patiemment. D'autres estiment qu'en le voyant muet comme une carpe et aussi immobile qu'un cercueil, la fille peut se décourager à l'idée qu'il est sans doute homosexuel ou impuissant, le traitant alors d'eunuque inutile ou de véritable imbécile. Elle peut même juger sa réticence à lui faire des avances comme une insulte. La prendre de force serait pour elle une expérience traumatisante, cela va sans dire, mais l'ignorer serait bien pis.

Au soir du dixième jour, l'homme commence à parler avec douceur, en tête-à-tête avec sa jeune épouse, de manière à lui inspirer confiance. Certains prétendent que, pour la gagner entièrement, il ne doit pas lui adresser la parole durant trois jours, mais [...] en ayant assez de le voir ainsi figé, elle sera désenchantée et en viendra à le mépriser comme un eunuque.

Kama Sutra

Petits jeux érotiques

Selon Vatsyayana, l'homme commence par approcher la fille en douceur afin de la mettre en confiance en la divertissant avec quelques jeux amoureux. Il faut dire qu'elle est de nature délicate et n'aime pas qu'on la brusque. Un contact forcé ou trop brutal vouerait toute entreprise à l'échec. Le mari ne doit pas rompre le vœu de chasteté, car cela remettrait en cause la croyance de son épouse en sa conduite vertueuse. Ainsi, il lui montre qu'il s'intéresse à elle en faisant attention de ne pas se mettre toujours en avant ni de trop insister, deux attitudes qui risquent d'avoir un effet contraire en l'effrayant et en la rendant instinctivement hostile aux marques d'affection qu'il manifeste à son égard. Il doit savoir qu'elle peut être très facilement effarouchée par un homme qu'elle connaît à peine et agir en conséquence. C'est particulièrement vrai durant la nuit, lorsqu'elle a le cafard et que sa famille lui manque. Aussi fragile qu'une fleur, la femme mérite qu'on la traite avec respect et en douceur jusqu'à ce qu'elle se sente en sécurité et en confiance.

Vatsyayana dit que l'homme doit d'abord la conquérir et lui inspirer confiance en renonçant pour un temps aux plaisirs sexuels. Douces de nature, les femmes veulent qu'on les approche avec douceur ; si elles ont à subir l'assaut brutal d'un homme qu'elles connaissent à peine, elles peuvent en concevoir parfois de la haine [...] pour le sexe masculin.

Kama Sutra

Premières étreintes

Le garçon doit faire preuve de beaucoup de tact et de discrétion dans ses approches amoureuses. Dès qu'il sent que ses jeux et ses mots tendres ont réussi à décontracter la fille et qu'elle est bien disposée, il s'enhardit et essaie de l'enlacer. Il faut que ce premier contact soit de genre à lui plaire. L'enlacement doit être tendre et ne pas durer trop longtemps, car elle se laissera faire un instant, mais très vite elle va résister. Pour ne pas la gêner, il doit s'en tenir à la partie du corps au-dessus du nombril, ce qui est plus simple et plus facile sachant qu'elle ne lui permettra rien d'autre. S'il essaie de la caresser plus bas, elle s'y opposera fermement. S'il s'agit d'une adulte ou d'une fille qu'il connaît déjà, il peut faire ses approches en laissant les lampes allumées, mais s'il la connaît à peine ou si elle est encore très jeune, il doit rester dans le noir. L'obscurité est préférable à la lumière violente pour une fille qui est timide, pudique, et donc très facile à effaroucher.

Il doit caresser les parties supérieures de son corps parce que c'est plus facile et plus simple. Si la fille est adulte ou s'il la connaît depuis un certain temps, il peut faire ces approches en pleine lumière, mais s'il ne la connaît pas suffisamment ou si elle est toute jeune, il doit agir dans l'obscurité.

Kama Sutra

Des signes de progrès

Si elle est consentante, il lui offre le bétel qu'il a dans
la bouche. Si elle refuse de le laisser faire, il essaie de
l'amadouer par des paroles suggestives, des mots doux et
des promesses et si, malgré tous ses efforts, il échoue, alors il
se jette à ses pieds. Car c'est un principe universel, quels que
soient l'embarras ou la colère qu'elle éprouve, une femme
ne reste jamais insensible devant un homme qui s'incline à
ses pieds. Lorsqu'il retire le bétel de sa bouche pour le mettre
dans la sienne, il lui donne un doux baiser sur les lèvres.
Si elle lui permet de l'embrasser, il la persuade de converser
avec lui. Lorsqu'il lui demande si elle le désire et s'il lui plaît,
elle reste silencieuse pendant un moment, puis, d'un
hochement de tête, elle lui indique son assentiment. Ensuite
il se rapproche d'elle et lui offre du bétel, des onguents
et des colliers de fleurs jusqu'à ce qu'elle lui réponde.
Puis, la confiance aidant, il lui touche le bout des seins
qu'il presse avec les ongles.

*Lorsque la fille a consenti à l'embrassement, l'homme lui met
dans la bouche un tambula – morceau de noix ou de feuilles de
bétel – et si elle refuse de le prendre, il doit la convaincre par des
paroles conciliantes, des prières, des serments. Enfin il s'agenouille
devant elle, car [...] la femme [...] n'ignore jamais un homme qui
tombe à ses pieds.*

Kama Sutra

Douceur des caresses

Si la fille essaie de repousser ses avances, le garçon lui promet
qu'il ne recommencera pas à condition d'arriver à ses fins.
Cela dit, elle n'a plus qu'à donner un signe d'acceptation,
tandis qu'il l'étreint, caresse son corps et l'assoit sur ses
genoux. Si elle continue de lui résister, il peut lui faire peur
en la menaçant encore de lui mordre les lèvres, de griffer
ses seins et de laisser sur son corps des marques de griffures
en disant aux autres que c'est elle qui en est l'auteur.
Sa crainte et sa confiance progresseront vraisemblablement
au même rythme, alors qu'il doit la gagner à ses désirs.
Les deuxième et troisième nuits, la voyant plus décontractée,
il la caresse et la couvre de baisers sans chercher à la déflorer
dans l'immédiat. Puis il passe la main sur ses cuisses et son
entrejambe. Si elle tente de l'arrêter, il lui demande ce qu'elle
lui reproche de mal et la convainc de le laisser faire et d'aller
plus loin. Ensuite, il la déshabille, dénoue sa ceinture et
caresse ses parties intimes.

*Les deuxième et troisième nuits, lorsqu'elle se sent davantage en
confiance, il caresse son corps, qu'il couvre de baisers ; puis il promène
les mains sur ses cuisses, les pétrit et parvient, si possible, jusqu'à
l'aine.*

Kama Sutra

Compromis

L'homme lui enseigne les soixante-quatre arts et lui déclare sa flamme. Il lui promet fidélité et dissipe ses craintes à propos de ses rivales. Enfin, après avoir vaincu sa timidité, il peut gagner son affection et lui démontrer ses capacités amoureuses sans l'effrayer. En suivant les inclinations de la fille, il augmente sa confiance et rend son amour indéfectible. Pour parvenir à ses fins, il ne doit pas exaucer ni rejeter tous ses désirs, mais adopter plutôt un moyen terme. Celui qui sait rendre une femme amoureuse développe son sens de l'honneur et renforce la confiance qui l'amène à s'éprendre de lui. Mais celui qui lui reproche sa pudeur excessive sera vite taxé de brute incapable de comprendre l'âme féminine. Une fille que l'on force à succomber contre son gré a tendance à devenir craintive et à détester tous les hommes ou, du moins le sien, de sorte qu'elle se tourne vers d'autres hommes.

Celui qui respecte les inclinations d'une fille doit essayer de l'apprivoiser de sorte qu'elle tombe amoureuse et accorde sa confiance [...]. Celui qui sait séduire les femmes, soigner leur honneur et leur inspirer confiance, celui-là est assuré de leur amour.

Kama Sutra

de l'acte d'amour

Les êtres humains offrent une grande diversité de tailles et de gabarits, diversité que l'on retrouve aussi dans la dimension des organes sexuels. Il est important de tenir compte de leurs ressemblances et de leurs différences, qui ont souvent de profondes incidences sur la réussite et les autres aspects de l'accouplement.

Caractéristiques sexuelles

Les êtres humains ne présentent pas tous les mêmes particularités : ils se distinguent aussi bien par la taille que par la physionomie. Non seulement la forme du nez, de la bouche ou du menton les singularise, mais aussi celle de leurs organes sexuels. On peut, en effet, considérer qu'il existe trois types d'hommes et de femmes selon la dimension des parties génitales. Les caractéristiques sexuelles ont une grande influence sur le plaisir érotique. D'une part, elles déterminent le degré de réussite de la copulation et, d'autre part, elles indiquent les rapports sexuels à privilégier selon les cas. Voyons d'abord le profil sexuel masculin. On distingue trois types d'hommes d'après la dimension de l'instrument, à savoir : le lièvre, le taureau et le cheval. Le sexe du lièvre est de petit calibre, celui du taureau, de moyen calibre, et celui du cheval, de gros calibre. On distingue, de même, trois types de femmes selon la largeur et la profondeur du vagin : la biche, la jument et l'éléphante. Le sexe de la biche est le plus étroit, celui de la jument, de taille moyenne, et celui de l'éléphante, de dimension supérieure.

L'homme est appelé lièvre, taureau ou cheval selon la dimension de son sexe (linga). La femme, elle aussi, selon la profondeur de son vagin (yoni), est appelée biche, jument ou éléphante.

Kama Sutra

Neuf unions possibles

Il existe donc neuf formes de relations sexuelles possibles entre un homme et une femme selon la dimension du sexe. Trois d'entre elles sont pratiquées par des partenaires égaux dont les organes sont de même calibre. Ce sont, bien entendu, les unions les plus souhaitables auxquelles, évidemment, chacun aspire. Les rapports à égalité, particulièrement conseillés, sont ceux qui unissent le lièvre et la biche, le taureau et la jument, le cheval et l'éléphante. Six autres relations plus ou moins inégales, selon les cas, sont pratiquées par des couples dont les instruments de copulation ne sont tout simplement pas assortis. Ces relations inégales sont celles du lièvre avec la jument, du lièvre avec l'éléphante, du taureau avec la biche, du taureau avec l'éléphante, du cheval avec la biche, et du cheval avec la jument. Il va de soi que tous ces éléments sont à prendre en considération pour juger du bien-fondé ou non d'un rapport avec tel partenaire ou tel conjoint, car ils ont parfois un effet rédhibitoire sur l'union sexuelle et peuvent, en fait, grandement favoriser ou compromettre la réussite érotique ou autre.

Ainsi y a-t-il trois unions égales entre partenaires de dimensions assorties et six unions inégales quand les dimensions ne correspondent pas, soit neuf en tout. Les unions égales sont : lièvre/biche, taureau/jument, cheval/éléphante. Les unions inégales sont : lièvre-jument, lièvre-éléphante, taureau-biche, taureau-éléphante, cheval-biche, cheval-jument.

Kama Sutra

Unions inégales

Il existe deux formes de coït supérieur en cas de rapport inégal, où la dimension du pénis est immédiatement supérieure à celle du sexe de la femme, mais une seule forme d'union pratiquée entre organes de dimensions extrêmes, appelée coït inférieur. Autrement dit, le cheval et la jument, de même que le taureau et la biche, pratiquent une forme d'union supérieure, celle du cheval et de la biche étant qualifiée de très supérieure. De tous les accouplements inégaux, celui entre extrêmes – c'est-à-dire le coït très supérieur ou très inférieur – est vraiment le moins conseillé. Toutes les autres formes d'union sont acceptables. Le coït supérieur est généralement préférable au coït inférieur, car il permet à l'homme de combler ses désirs sans blesser sa partenaire, alors que, dans le cas contraire, il est difficile pour la femme de satisfaire son plaisir au moyen d'un quelconque instrument.

Dans ces relations inégales où l'organe de l'homme surpasse celui de la femme en dimension, son union avec la femme qui, sous cet aspect, vient immédiatement après lui, s'appelle haute union et est de deux sortes ; tandis que l'union la plus extrême, ou très haute union, n'est que d'une sorte.

Kama Sutra

L'inversion des rôles

On retrouve les mêmes éléments dans la situation inverse.
Pour les unions considérées comme inégales, où la dimension
du sexe de la femme est immédiatement supérieure à celle
du pénis, on parle de coït inférieur ou de basse union ; l'autre
forme de rapport pratiquée entre organes de dimensions
extrêmes est connue sous le nom de coït très inférieur.
Si l'on s'en tient à cette classification, l'accouplement
de l'éléphante avec le taureau, de la jument avec le lièvre est
inférieur, tandis que celui de l'éléphante avec le lièvre est très
inférieur. La supériorité de l'homme ou de la femme a peu
d'importance pour la réussite de l'acte sexuel, bien qu'une
haute union soit préférable à une basse union, car elle permet
à l'homme de combler ses désirs sans blesser la femme, alors
que, dans le cas contraire, il est difficile pour la femme de
satisfaire son plaisir au moyen d'un quelconque instrument.
Le principal enseignement de ce chapitre de la science
érotique est que l'accouplement entre extrêmes, autrement
dit le coït très supérieur ou très inférieur, est vraiment
la forme d'union la moins recommandée de toutes.

*De même, lorsque l'organe de la femme surpasse celui de
l'homme en dimension, son union avec l'homme qui vient
immédiatement après elle s'appelle basse union et elle est de deux
sortes ; tandis que l'union la plus extrême, ou très basse union, n'est
que d'une sorte.*

Kama Sutra

La force de la passion

Outre les différences de taille, il y a aussi plusieurs degrés
dans la force de la passion ou du désir charnel, qui ont
souvent leur importance. Tout comme l'on distingue neuf
sortes de rapports sexuels selon la dimension, il existe neuf
sortes d'unions selon le tempérament. Les trois unions égales
sont celles où les deux partenaires montrent le même
tempérament : faible, moyen ou passionné. Les unions
inégales sont celles où les deux partenaires ne jouissent pas
en même temps : l'un montre peu d'ardeur quand l'autre est
moyennement excité, ou l'un manifeste un désir fugace
quand l'autre nourrit une passion intense, ou l'un présente
un tempérament passionné et l'autre moyen. L'homme dit
de faible tempérament éprouve une absence de désir au
moment des rapports, émet un sperme peu abondant et ne
supporte pas les étreintes voluptueuses de la femme aimée.
Celui qui est animé d'un tempérament passionné manifeste
un désir érotique intense et, entre les deux, il s'agit d'un
tempérament moyen. De même, on distingue chez la femme
trois degrés dans la force de la passion, comme ceux que
l'on vient de décrire.

*Il existe également neuf sortes d'unions suivant la force de la
passion ou le désir charnel. Les trois unions égales sont entre deux
partenaires de tempérament faible, moyen ou passionné. Les unions
inégales sont les suivantes : faible-moyen, faible-passionné, moyen-
faible, moyen-passionné, passionné-faible et passionné-moyen.*

Kama Sutra

Une question de temps

Il existe aussi neuf sortes d'unions selon la différence dans la durée de l'acte qui rend la capacité de jouissance du couple rapide, moyenne ou lente. Il n'est donc pas toujours possible pour l'homme et la femme de parvenir à la simultanéité de l'orgasme, ce qui pose parfois des problèmes. Il faut rappeler que la femme n'ayant pas d'éjaculation de sperme, elle ne prend pas son plaisir comme son partenaire. Chez l'homme, l'éjaculation marque la fin du désir, alors que la femme ressent un état d'excitation ininterrompu qui l'amène à rechercher d'autres voluptés. Aussi apprécie-t-elle la virilité de celui qui jouit après une longue copulation, alors que celui dont l'ardeur est trop rapide la laisse insatisfaite faute de lui avoir procuré un plaisir durable – l'homme éjacule à la fin du rapport, tandis que la femme éprouve un sentiment d'inachevé au moment où son partenaire atteint l'orgasme. Son désir de jouissance continue, et son besoin d'un homme dure même après qu'elle est satisfaite. Lors de la copulation, le frottement de la verge peut calmer son excitation, mais ce sont les marques de tendresse, les baisers et les caresses qui lui procurent le plaisir le plus intense.

Ne pourrait-on pas maintenant se poser cette question : si l'homme et la femme appartiennent à la même espèce et concourent tous deux au même résultat, pourquoi ont-ils l'un et l'autre des activités différentes à accomplir ? Vatsyayana dit qu'il en est ainsi car l'action et la conscience du plaisir sont différentes chez l'homme et chez la femme.

Kama Sutra

Des êtres humains

Quand un homme et une femme s'unissent dans un même but qui est la recherche du plaisir, il serait faux de croire qu'ils éprouvent l'un et l'autre une jouissance de nature différente. C'est justement parce que tous deux sont des êtres humains qu'ils sont en quête de ce même plaisir. On ne constate aucune différence dans la finalité, mais uniquement dans le comportement des acteurs et la durée de l'acte. De même qu'il existe neuf formes d'union possibles selon la dimension des organes, l'humeur et le temps de copulation, de même les permutations de tous ces facteurs sont infinies, offrant ainsi une multitude de possibilités. On doit donc utiliser les méthodes jugées préférables selon les circonstances. Lors d'un premier rapport, l'homme met une telle ardeur depuis le début de l'acte jusqu'à l'éjaculation qu'il cherche à terminer au plus vite. Mais, la deuxième fois, il fait durer le plaisir, répondant ainsi aux besoins de la femme. Pour elle, c'est exactement l'inverse : elle parvient lentement à un premier orgasme assez fugitif, alors que le deuxième vient vite et dure plus longtemps.

Dans la première union, l'homme ressent un désir intense en peu de temps, mais dans les unions ultérieures [...] c'est tout le contraire. Il en va autrement de la femme qui, la première fois, voit sa passion s'allumer peu à peu et met longtemps à jouir ; mais ensuite [...] sa jouissance est intense et dure peu.

Kama Sutra

les fruits défendus

Dans les mœurs de l'époque, le cunnilingus ou la fellation étaient, en principe, des pratiques interdites entre mari et femme. Malgré ce tabou — ou peut-être à cause de lui —, la tentation était forte pour certains de vouloir s'offrir ce plaisir érotique à n'importe quel prix.

Le coït buccal

Le cunnilingus et la fellation étaient autant de plaisirs défendus entre mari et femme, c'est pourquoi leur pratique était réservée aux eunuques, qui incarnent le troisième sexe ou sexe neutre. On distingue deux sortes d'eunuques : ceux qui ont un aspect viril, portent la moustache, ont des poils sur le corps, etc., et ceux qui cultivent une apparente féminité, ont de la poitrine, portent des vêtements et des coiffures de femme, et imitent le comportement féminin par leurs gloussements, leurs coquetteries et leur pudeur. Les prostitués du troisième sexe s'appellent des gitons. Les eunuques travestis en femmes pratiquent un acte sexuel particulier en appliquant la bouche dans l'entrecuisse. Cette technique est qualifiée de coït supérieur pour des raisons évidentes. Les eunuques gagnent ainsi leur vie en offrant cette forme d'érotisme – connue sous le nom d'*auparishtaka* ou fellation – aux hommes qui le désirent. Ils mènent une vie de courtisane en proposant leurs services à ceux qui leur demandent ce genre de faveurs érotiques.

Il y a deux sortes d'eunuques, les uns déguisés en hommes, les autres en femmes. Ceux d'apparence féminine imitent les femmes par leur costume, leur parler, leurs gestes, leur gentillesse, leur timidité, leur simplicité, leur douceur et leur pudeur. Les actes pratiqués sur la région du sexe – ou jaghana – de la femme se font dans la bouche de ces eunuques : on les appelle auparishtaka.

Kama Sutra

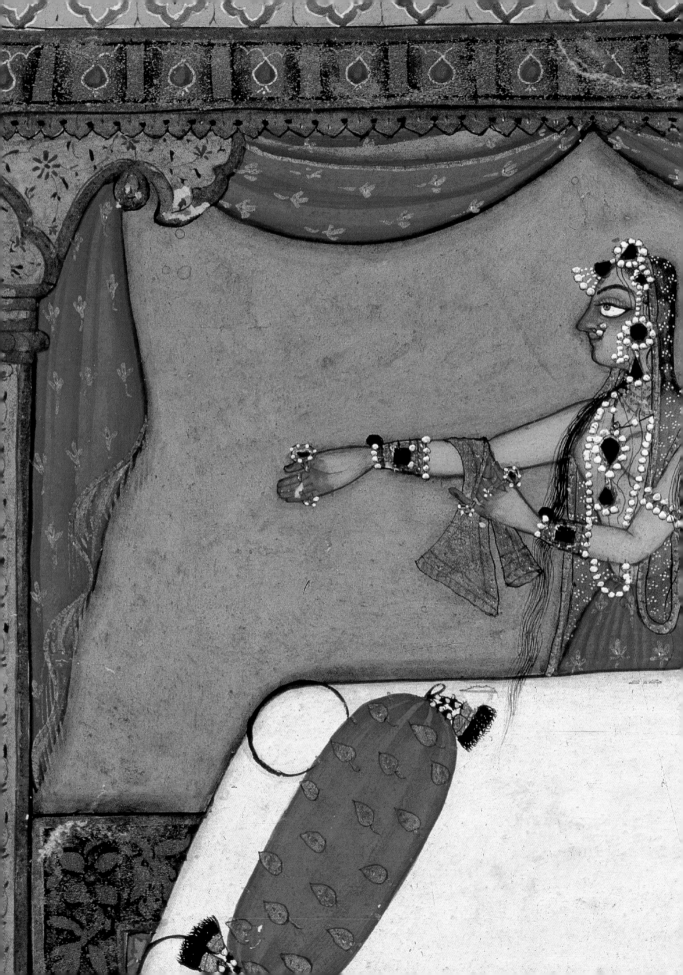

Rôle de l'eunuque

Il y a aussi des eunuques à l'apparence virile qui acceptent de se prêter à la succion buccale. Bien qu'ils aient une préférence marquée pour les hommes, ils dissimulent scrupuleusement leur penchant sexuel à la face du monde et prennent grand soin d'afficher leur masculinité. Ils vivent, pour la plupart, du métier de coiffeur ou de masseur, consacrant toute leur énergie à malaxer les membres de leurs patients. Eux aussi pratiquent la fellation, mais comme ils ne laissent rien paraître de leurs intentions et tiennent leurs désirs cachés, celui qui s'adresse à eux n'a jamais la certitude d'obtenir ce qu'il veut. Sous couvert de massage, l'eunuque entreprend alors ses manipulations, pétrit les cuisses, rapproche son visage pour mieux se concentrer sur cette région, puis la palpe, la caresse, la malaxe et glisse ses mains en douceur vers les parties génitales, l'entrecuisse, l'anus et les testicules.

L'eunuque ayant une apparence masculine tient ses pratiques secrètes et, s'il veut exercer un métier, il choisit celui de masseur. Sous le prétexte du massage, il pétrit les cuisses de son client, qu'il attire vers lui, puis caresse les jointures et la région sexuelle ou jaghana.

Kama Sutra

Intentions sexuelles

Puis, une fois que l'eunuque est arrivé à ses fins en provoquant une érection qui révèle manifestement le désir du client d'avoir un rapport avec lui, il prend la verge dans sa main et se met à la caresser et à la frotter d'un air triomphant. Il rit de bon cœur, ravi de constater que, dans son excitation, l'homme a le sexe dressé même s'il ne l'a pas encore touché. Il fait semblant de se moquer de son érection, mais n'essaie pas encore de le faire éjaculer. Si l'homme ne lui dit pas de continuer, même s'il a deviné ses intentions, l'eunuque poursuit alors son entreprise et commence de sa propre initiative à sucer le membre viril. En revanche, si le client lui intime de pratiquer une succion buccale, il s'y refuse, du moins dans un premier temps, et se dérobe en signe de protestation, mais, en définitive, il se prête au jeu avec enthousiasme, trop heureux de saisir l'occasion.

S'il trouve le linga en érection, il le presse avec la main et le frotte pour le maintenir dans un état d'excitation. Si, après cela et connaissant son intention, l'homme ne demande pas à l'eunuque de continuer, ce dernier prend sur lui de le faire et commence le congrès.

Kama Sutra

Différents types de fellation

Les huit façons successives dont l'eunuque peut s'adonner
à ce type de pratiques sont les suivantes : l'union symbolique,
la morsure latérale, la pression externe, la pression interne, le
baiser, le léchage, la succion de la mangue, l'engloutissement.
L'union symbolique consiste pour l'eunuque à prendre
le sexe dans sa main et à appuyer ses lèvres sur le gland
en le tournant dans sa bouche. La morsure latérale s'effectue
en couvrant le bout du pénis avec les doigts resserrés comme
le bourgeon d'une fleur et en pressant les côtés avec les
lèvres tout en mordillant légèrement l'instrument. Aussitôt
après avoir mordu, l'eunuque reprend les caresses apaisantes.
Après chacun de ses gestes, l'eunuque exprime le souhait
de se reposer, mais à chaque fois son client lui demande de
poursuivre et de passer au contact suivant… et ainsi de suite
jusqu'à ce qu'il finisse par combler tous ses désirs.

*Lorsqu'il tient le sexe de l'homme dans sa main et le place entre
ses lèvres, le relâchant dans sa bouche, l'eunuque pratique l'union
symbolique. Lorsqu'il couvre l'extrémité du linga avec ses doigts
resserrés en bourgeon de fleur, l'eunuque presse les côtés avec ses lèvres
en se servant aussi de ses dents ; c'est la morsure latérale.*

Kama Sutra

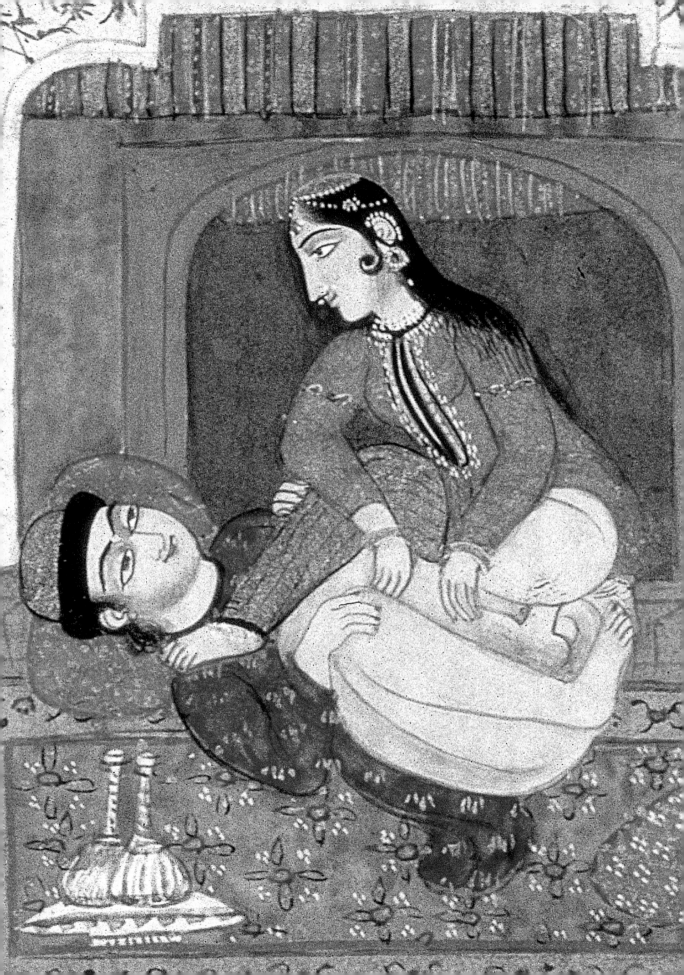

La fièvre du désir

L'homme se trouve dans un état d'excitation qui atteint
son paroxysme au moment où l'eunuque lui mordille le sexe.
C'est alors qu'il lui demande d'approcher ses lèvres
de la verge dressée. La pression externe se pratique lorsque
l'eunuque met sa bouche en contact avec le pénis en
érection, le fait pénétrer dans sa bouche, le presse avec
ses lèvres et l'embrasse en le suçant avec avidité avant de le
relâcher. La pression interne se fait toujours à la demande
du client, lorsqu'il est au comble de l'excitation et sur le
point d'avoir un orgasme. C'est alors qu'il promet de payer
l'eunuque, qui accepte de faire pénétrer la verge plus avant
et en presse le bout entre ses lèvres dans un mouvement
de légère succion qui provoque une émission de liquide.
Le contact suivant est le baiser, qui consiste à saisir le sexe
avec la main au lieu des lèvres, à le dénuder puis
à l'embrasser.

*Invité à continuer, l'eunuque presse l'extrémité du linga en
serrant les lèvres et le baise comme s'il voulait l'aspirer : cela s'appelle
la pression externe. Lorsqu'il est de nouveau prié de poursuivre, il
introduit le linga plus avant dans sa bouche, le presse avec ses lèvres
et le relâche : cela s'appelle la pression interne.*

Kama Sutra

Pression de la langue

Vient ensuite la pratique du léchage, où l'eunuque promène partout le bout de sa langue avec laquelle il titille l'orifice sensible du méat. Puis il suce la mangue, autrement dit, il découvre le gland et introduit à moitié le sexe dans sa bouche tout en le pressant violemment avec la base de la langue comme s'il l'aspirait, ce qui ressemble beaucoup au mouvement d'aspiration que l'on fait lorsque l'on suce le jus de la mangue. Enfin, comprenant le désir de son client, qui est au comble du plaisir, l'eunuque enfonce le pénis dans sa bouche et le fait éjaculer en pressant fortement sa langue sur le gland. L'éjaculation du sperme est spectaculaire, tandis que l'eunuque continue à maintenir la pression jusqu'à la fin de l'acte. Appelée engloutissement, cette pratique marque le temps fort du coït buccal.

Lorsque, continuant de la sorte, il introduit la moitié de l'organe dans sa bouche, le baise et le suce avec force, cela s'appelle sucer la mangue. Enfin, avec le consentement de l'homme, l'eunuque le presse tout entier dans sa bouche jusqu'à la racine comme s'il allait le dévorer, cela s'appelle l'engloutissement.

Kama Sutra

Relations de confiance

Parfois, ce sont les jeunes serviteurs de certains hommes, portant des anneaux brillants à leurs oreilles, qui pratiquent le coït buccal avec leur maître. Des citadins liés par une longue amitié et une grande confiance réciproque et implicite s'adonnent également à ces actes de la bouche. Certaines femmes du harem se lèchent mutuellement la vulve. Il y a aussi des hommes qui en font de même avec les femmes, dont ils savent instinctivement embrasser la vulve, forts de leur expérience du baiser sur la bouche. L'homme et la femme pratiquent parfois le coït inversé, l'un et l'autre saisissant simultanément avec leur bouche l'organe sexuel de l'autre. Quand le couple s'unit dans la position tête-bêche pour avoir ce rapport inversé, cela s'appelle le corbeau. Comme des corbeaux, l'homme et la femme se picorent, saisissent l'autre sexe avec la bouche et absorbent ses sécrétions dans l'ardeur de leur étreinte. Cette forme d'action érotique est jugée acceptable entre partenaires de même milieu, mais elle est déconseillée avec les personnes des autres castes. Les actes entre égaux sont toujours préférables.

Certaines femmes du harem, lorsqu'elles sont amoureuses, embrassent le yoni l'une de l'autre comme on embrasse la bouche, et certains hommes font la même chose avec les femmes [...].
Lorsqu'un homme et une femme s'unissent en position inverse, c'est-à-dire la tête de l'un vers les pieds de l'autre, et se livrent à cette sorte de congrès, cela s'appelle le corbeau.

Kama Sutra

la souffrance et le plaisir

Les formes de contact physique que représentent les étreintes, les baisers, les griffures, les morsures et les coups sont toutes pratiquées dans un but d'excitation. Il arrive parfois que la relation amoureuse tourne plutôt à la dispute, de sorte que la violence fait partie intégrante des jeux de l'amour.

Pressions, marques ou griffures avec les ongles

Dans le tourbillon de la passion qui emporte les amants, les ongles servent à griffer, érafler et laisser ses empreintes sur le corps de son partenaire. C'est un excellent moyen d'accroître l'excitation amoureuse. Si l'enthousiasme n'y est pas, la griffure représente à défaut la force vive du sentiment amoureux. On la recommande plus particulièrement dans certaines circonstances, par exemple, au soir d'une rencontre amoureuse, au retour d'un voyage, juste avant de partir, lors d'une réconciliation avec un amant en colère ou peut-être avec une femme ivre, bien que de telles mœurs ne soient pas recommandées dans tous les cas. La griffure est une marque d'affection, mais aussi un signe de colère ou de joie et un précieux témoignage rappelant l'objet de la passion – souvenir du passage d'un amour qui n'est plus là. Les meilleurs endroits du corps à griffer sont les aisselles, le cou, les seins, les lèvres, la région génitale et les cuisses. Pour bénéficier d'une qualité irréprochable, les ongles doivent être brillants, d'égale longueur, propres, sans cassures, convexes, lisses et d'un bel aspect.

Lorsque l'amour est à son comble, c'est le moment de presser ou de griffer le corps avec les ongles. Cette pratique a lieu dans les occasions suivantes : dès la première rencontre, avant de partir en voyage, au retour de voyage, pour marquer la réconciliation avec un amant irrité et, enfin, lorsque la femme est ivre.

Kama Sutra

Des morsures

Toutes les parties du corps accessibles aux baisers conviennent aussi aux morsures, excepté la lèvre supérieure, la langue et les yeux. Mais le choix est vaste puisqu'il reste encore le front, la lèvre inférieure, le cou, les joues, la poitrine, les seins, les flancs et la région génitale. Il en va de la qualité des ongles comme de celle des dents, qui doivent se montrer belles et désirables. Elles réunissent tous les critères de qualité si elles sont égales, éclatantes, propres, brillantes, bien proportionnées, non cassées et tranchantes. On reconnaît, par ailleurs, les mauvaises dents quand elles sont émoussées, gâtées, trop petites ou trop grandes, ou déchaussées. Les comportements diffèrent selon les régions s'agissant des griffures et des morsures, mais il est plus important de suivre son inclination que d'obéir aux coutumes locales. La femme passionnée colle ses lèvres sur celles de son amant et le force à se coucher. Puis elle lui marque le corps de son empreinte en le mordant comme une folle partout où il l'a mordue, ravie des efforts qu'il déploie pour sortir de ses griffes. Elle l'étreint avec tant de fougue que leurs corps ne font plus qu'un. Ainsi, les hommes et les femmes qui agissent selon leurs inclinations réciproques ne verront jamais s'éteindre leur amour, même après cent ans d'idylle.

Tous les endroits du corps qui conviennent aux baisers sont les mêmes que l'on peut mordre, excepté la lèvre supérieure, la langue et les yeux. Les qualités des bonnes dents sont d'être égales, d'un bel éclat, légèrement teintées, de juste proportion, non cassées et bien tranchantes.

Kama Sutra

Des goûts et des couleurs

Les étreintes, les baisers, les griffures, les morsures et les coups sont des formes de contact physique destinées à exciter l'autre. Dans les régions où la population est en majorité aryenne, les femmes n'aiment pas se voir infliger des blessures par un homme avec les ongles ou les dents. Il ne faut donc pas croire que les comportements que l'on vient de décrire sont du goût de tout le monde ou sont admis dans tous les pays. Il y a dix sortes de morsures qu'une femme peut se permettre d'exhiber. Les unes sont plus visibles que d'autres dès lors qu'elles laissent des marques plus ou moins vives ou qu'elles apparaissent à certains endroits du corps. Elles ont des formes variées qui vont du « collier de points », imprimé sur le front ou sur les cuisses, au « nuage dispersé », cercle de petites marques de dents irrégulier tracé sous les seins. Les morsures sont le signe de la possession qu'une femme est fière de montrer, car elles révèlent l'amour véritable que lui porte son amant et la force du désir qui l'anime.

Les marques faites avec les ongles ou les dents sur les objets suivants : un ornement du front, un ornement d'oreille, un bouquet de fleurs, une feuille de bétel ou une feuille de palmier que porte la femme aimée ou qui lui appartiennent, signifient un désir de jouissance.

Kama Sutra

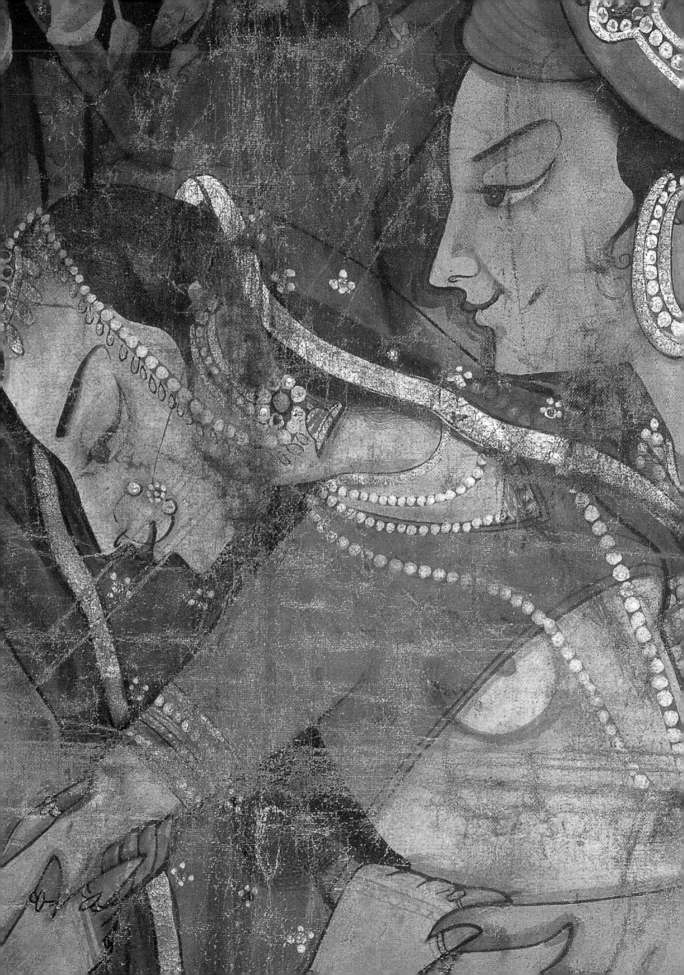

Querelles d'amoureux

On pourrait comparer les relations sexuelles entre deux
personnes à une sorte d'affrontement et l'érotisme à un
champ de bataille. Ce qui apparaît comme un conflit entre
des amants est, en réalité, une lutte entre l'homme et la
femme, qui sont obligés de s'opposer violemment pour
s'affirmer. Cet état d'esprit ne peut pas se forger avec des
marques de tendresse ou d'affection. Cela peut sembler
d'autant plus surprenant que l'amour est généralement
associé à la douceur, mais la douceur ne permet pas d'obtenir
l'effet souhaité. C'est pourquoi les actes de cruauté tiennent
une place essentielle dans la jouissance éprouvée au cours
des rapports sexuels. Il y a plusieurs endroits particulièrement
indiqués pour se frapper mutuellement. Ce sont les épaules,
la tête, l'espace entre les seins, le dos, les parties génitales
et les côtés. La lutte entre les amants et les coups portés
stimulent leur agressivité et font partie de la jouissance
de l'acte sexuel.

*L'union sexuelle peut être comparée à une lutte provoquée par les
contrariétés de l'amour, qui est source de disputes. Les corps se
frappent avec passion. Les bons endroits pour donner des coups sont
les épaules, la tête, l'espace entre les seins, le dos, le sexe ou jaghana
et les côtés.*

Kama Sutra

La technique des coups

Il y a quatre manières de s'échanger des coups entre partenaires lors des prémices de l'union sexuelle. On peut frapper avec le côté de la main, la paume de la main ouverte, le poing ou le bout des doigts serrés. Ces techniques ne sont pas difficiles à maîtriser, et le choix de la méthode n'a guère d'importance, car toutes ont à peu près le même effet sur la personne qui reçoit les coups. Sous la violence de l'acte qu'elle subit et dès qu'elle sent poindre la douleur, la femme commence à gémir. Lorsque les coups diminuent d'intensité, elle pousse des soupirs. Les cris varient selon l'intensité de la douleur ressentie et sont l'expression sonore de la souffrance vécue. Ils sont classés en huit catégories, parmi lesquelles figurent le roulement de tonnerre, le son roucoulant et le son pleurant, *phut,* et expriment chacun un état d'esprit qui joue un rôle primordial dans l'agressivité érotique.

Il y a quatre manières de frapper : avec le tranchant de la main, avec le bout des doigts serrés, avec le poing et avec la paume de la main ouverte [...]. Les coups réveillant la douleur, il en résulte l'émission de huit sortes de sons sifflants [...] et de gémissements.

Kama Sutra

L'expression des sentiments
chez la femme

Outre les sons qu'elle émet, la femme prononce aussi des mots ayant un sens particulier et exprimant exactement le sentiment qu'elle éprouve à ce moment précis. Elle peut, par exemple, appeler sa mère ou implorer son amant, le supplier d'arrêter ou même, qui sait, le supplier de continuer selon ce qu'elle ressent à cet instant précis. Quand elle fait entendre ses gémissements, sous les coups de l'amant, elle émet des sons qui ressemblent, dit-on, à ceux du pigeon, du coucou, de la tourterelle, du perroquet, de l'abeille, du rossignol, de l'oie, du canard ou de la perdrix. Ses soupirs sont aussi séduisants à l'oreille que la musique d'une chanson. Lorsqu'elle est assise sur les genoux de l'amant, prête à faire l'amour, il la frappe dans le dos avec le poing et, sous prétexte d'une douleur insupportable, elle se met à pleurer et pousse un long gémissement, *han,* avant de lui rendre la pareille. Quand elle finit par se détendre et commence à apprécier les mauvais traitements que l'homme lui inflige, il doit la frapper de plus en plus fort et, à la fin, porter ses coups en d'autres endroits.

Il lui donne des coups de poing dans le dos pendant qu'elle est assise sur ses genoux. Elle lui rend ses attaques en l'invectivant comme si elle était en colère et en produisant des sons, roucoulant et pleurant.

Kama Sutra

L'inspiration naturelle

Il existe toutes sortes de pratiques amoureuses observables chez les quadrupèdes, de sorte que, si l'inspiration lui fait défaut, l'homme n'a qu'à puiser ses modes de divertissement dans la nature. Il peut, par exemple, faire l'amour avec deux femmes éprises de lui et ayant les mêmes goûts érotiques. C'est ce que l'on appelle pratiquer la sexualité de groupe. Les deux femmes se couchent sur le même lit et leur amant les prend ensemble. Pendant qu'il monte l'une, l'autre l'embrasse et après avoir fait jouir la première, il amène habilement la seconde jusqu'à l'orgasme. On peut aussi expérimenter des jeux sexuels de groupe en compagnie de plusieurs filles. Cette forme de copulation s'appelle le troupeau de vaches, car elle évoque le comportement du taureau en rut parmi des vaches. D'autres mammifères offrent des exemples de copulation intéressants. On peut se divertir, par exemple, en imitant l'accouplement des éléphants, qui se livrent à des jeux d'eau en nombreuse compagnie, ou celui d'un bouc avec un troupeau de chèvres ou bien d'un cerf ou d'autres animaux encore.

Quand l'homme jouit avec deux femmes en même temps, qui l'aiment toutes les deux, cela s'appelle le congrès uni. Lorsqu'il jouit avec plusieurs femmes, cela s'appelle le troupeau de vaches.

Kama Sutra

l'épouse d'autrui

Il est, en principe, interdit
d'avoir des relations sexuelles avec
des femmes mariées. Ces pratiques
sont néanmoins admises dans
certaines situations, mais il faut
bien réfléchir à leurs conséquences.
Sachant les risques que cela
comporte, les maris se doivent
évidemment de protéger avec soin
la vertu de leurs épouses.

Une question d'adultère

En temps normal, les relations sexuelles avec des femmes
mariées à d'autres hommes sont interdites. Elles ne procurent
en aucun cas la joie d'avoir des enfants. C'est pourquoi il faut
toujours réfléchir aux conséquences de l'adultère avant de
réellement s'engager dans cette voie. Une liaison adultère
avec l'épouse d'un autre est parfois acceptable, mais
uniquement dans certaines circonstances. Il faut bien réfléchir
avant de s'imaginer vouloir conquérir la femme d'un autre.
Cette volonté de la posséder ne doit surtout pas s'arrêter
à un désir charnel, mais se fonder sur des motifs très
particuliers, lorsque la passion conduit à des choix extrêmes
de vie ou de mort. Tout d'abord, il convient de bien mesurer
les chances de succès, les risques et les avantages relatifs que
l'on peut en tirer. Quels seront les effets de cette union ?
En vaut-elle la peine ? Posera-t-elle des problèmes ?
La relation durera-t-elle ? La vie est-elle supportable sans
elle ? Et quels seront les risques pour la réputation des deux
parties concernées s'il succombe à la tentation ? C'est
seulement après avoir répondu à toutes ces questions
de manière satisfaisante qu'un homme peut se lancer
à la conquête d'une femme mariée.

*On peut prendre possession de l'épouse d'autrui mais il faut bien
comprendre que cela n'est permis que pour des raisons particulières
et non pas pour le simple désir charnel. Il faut d'abord bien examiner
la possibilité d'en prendre possession, son aptitude à la cohabitation,
le danger de s'unir avec elle et les effets ultérieurs d'une telle union.*

Kama Sutra

Peser le pour et le contre

Avant de se laisser aller au désir d'avoir une liaison avec la
femme d'un autre, il faut bien penser aux risques auxquels
on s'expose en se lançant dans cette entreprise. Il n'y a guère
de raisons pour inciter un homme à avoir ce type de rapport
adultère, si ce n'est de vouloir sauver sa vie. Voyant que sa
passion se développe au point qu'elle va finir par le détruire,
alors – et seulement dans ce cas précis – il poursuit sa conquête.
Les dix degrés d'intensité de la passion sont les suivants :

1. L'attirance physique
2. L'affinité intellectuelle
3. L'obsession
4. L'insomnie
5. La perte d'appétit
6. Le dégoût de la vie
7. La perte du sens des convenances
8. La folie
9. Les évanouissements
10. La mort inéluctable

Dès qu'il voit la femme aimée, l'homme manifeste un violent
désir de la posséder et, franchissant l'un après l'autre les degrés
de la passion, il s'en trouve profondément affecté. Lorsqu'il se
rend compte qu'il ne peut plus vivre sans elle, il sait qu'il ne
doit pas renoncer à sa passion mais la posséder.

*Un homme peut vouloir prendre possession de l'épouse d'autrui pour
sauver sa propre vie, lorsqu'il réalise que son amour pour elle ne cesse
de croître.*

Kama Sutra

Quelles chances de succès?

Tout en pensant au meilleur moyen de mettre son plan à exécution et en évaluant ses chances de succès, l'homme réfléchit au genre de femme qu'elle est. Les hommes qui ont du succès auprès des femmes sont, en général, versés dans la science érotique, savent gagner leur confiance et leur font des cadeaux, sont beaux parleurs, n'en aiment pas d'autres et surpassent leur mari par leur instruction et leurs bonnes manières. De même, il y a des femmes que l'on peut obtenir sans mal, comme celles qui sont toujours devant leur porte à épier les mouvements de la rue, celles qui observent les hommes et regardent de côté. Mais il faut surtout faire attention à celles dont le mari a pris une autre épouse sans raison valable, celles qui arrivent légèrement vêtues dans les réceptions, détestent leur mari ou attirent leur mépris, les femmes qui n'ont pas d'enfant, les femmes pauvres aimant les réceptions et celles dont le mari est très souvent absent.

Le désir, inspiré par la nature, accru par l'art, et dont la sagesse écarte tout danger, devient une réalité permanente. L'homme adroit, confiant dans son habileté, observateur attentif des idées et des sentiments des femmes et sachant détruire les causes de leur éloignement des autres hommes, trouve le bonheur auprès d'elles.

Kama Sutra

L'état d'esprit

Quand un garçon cherche à séduire une fille, il doit essayer de comprendre son état d'esprit et il y a des signes qui ne trompent pas. Si elle semble s'intéresser à lui sans lui manifester clairement ses intentions, alors ses meilleures possibilités de la conquérir consistent à passer par un émissaire. Si, après une première rencontre, elle se présente à lui une deuxième fois en ayant l'air encore plus séduisante, il peut être assuré de la posséder tôt ou tard. Il ne doit pas prendre au sérieux celle qui le taquine sans vergogne et fait d'abord semblant de le laisser poursuivre ses approches à sa guise, puis change d'avis ; dans ce cas, seul le temps dira quel aura été son choix. Il faut aussi se méfier de celles qui s'appliquent à ne pas attirer l'attention des hommes et refusent obstinément de les rencontrer, même si une habile entremetteuse finit par influencer leur décision. Lorsqu'une femme fait une scène en adressant des reproches à un homme tout en se montrant affectueuse à son égard, il est quasi certain qu'elle se donnera entièrement à lui.

Une femme qui rencontre un homme dans des lieux isolés et le laisse toucher son pied, l'air de rien, à cause de l'indécision de son esprit, pourra être conquise avec de la patience et de la persévérance [...]. Lorsqu'elle lui offrira une occasion et lui manifestera son amour, il pourra en jouir.

Kama Sutra

Le harem royal

Les résidentes du harem royal n'ont aucune difficulté
à faire entrer de jeunes citadins dans leurs appartements.
Ils s'introduisent parfois dans le gynécée déguisés en femmes
et se font conduire par des servantes. Pour faciliter leurs
allées et venues, ils versent un pourboire aux femmes
qui gardent l'entrée et tirent ainsi quelque bénéfice
de leurs visites. Le palais est immense et, en général, la garde
se montre peu vigilante et distraite, ce qui facilite l'accès
au gynécée. D'ordinaire, on peut entrer et sortir du palais
en même temps que les fournisseurs qui livrent leurs
marchandises, pendant un déménagement, à l'occasion de
fêtes, en se mêlant aux domestiques affairés, lors d'un départ
en villégiature ou quand le roi s'absente pour un long
périple, laissant les reines au palais. Le citadin n'en reste pas
moins prudent, car il risque sa vie s'il est pris au piège.
Il ne doit pénétrer dans le sérail que s'il est sûr d'en ressortir
sans encombre. Celui qui a ses entrées doit en profiter et
saisir toutes les occasions de s'y rendre, même tous les jours
s'il en a la possibilité.

*Par l'entremise des domestiques, les dames du harem reçoivent
parfois dans leurs appartements des hommes habillés en femmes.
Les servantes et les filles des nourrices, qui connaissent tous les
secrets du palais, ont pour mission d'engager des hommes à pénétrer
ainsi dans le harem.*

Kama Sutra

L'union fait la force...

Les femmes du harem connaissent leurs secrets mutuels et savent tout ce qu'il y a à savoir sur chacune d'elles. Si l'une de ces dames agit de son propre chef et entretient une liaison particulière – précisément parce qu'elle n'en a pas le droit –, elle se sépare des autres. Elle commet une faute qui peut être lourde de conséquences. C'est une entreprise hasardeuse dans la mesure où les autres femmes risquent d'être irritées par son comportement secret, qu'elles considèrent comme une trahison, et la dénoncent au roi. Mais l'hostilité cesse lorsqu'elles participent toutes au même résultat. Grâce à la connaissance mutuelle de leurs actes, de leurs secrets et de leurs pensées, elles partagent un seul et unique objectif et s'entraident. C'est ce qui les unit. Si l'une d'elles est accusée de mauvaise conduite, cela rejaillit inévitablement sur l'ensemble du groupe, c'est pourquoi il est préférable pour toutes qu'elles aient des activités communes et restent ainsi solidaires. Les secrets sont ainsi gardés par tout le harem et personne n'est menacé. L'union fait la force.

Les résidentes du gynécée connaissent les secrets des unes et des autres et, n'ayant qu'un seul objet en vue, elles se prêtent mutuellement assistance. Celui qui les possède toutes et qui leur est commun à toutes peut continuer à en jouir aussi longtemps que la liaison reste secrète.

Kama Sutra

La protection des épouses

Un homme a beaucoup à apprendre en observant le comportement des femmes du harem et doit comprendre combien il est important de protéger la vertu de son épouse. De l'avis des disciples de Babhravya, il doit faire en sorte d'associer une jeune fille auprès de son épouse, qui lui en révélera tous les secrets à connaître et les preuves de bonne conduite. Mais Vatsyayana réprouve ces manières. Il dit qu'on ne doit pas punir une femme qui n'est peut-être pas coupable, pas plus qu'on ne doit l'accuser sans comprendre les raisons de ses agissements. Un homme ne doit pas condamner son épouse innocente en lui imposant la compagnie d'une jeune fille prête à la tromper ainsi. Au contraire, il doit s'efforcer d'examiner les motifs de son inconduite : les réceptions trop nombreuses, la débauche du mari, les relations incontrôlées avec les frères du mari, les absences répétées du mari, ses multiples séjours à l'étranger, le manque d'argent ou encore la fréquentation de femmes dissolues. S'il est intelligent, l'homme qui a étudié à fond les chapitres du *Kama Sutra* sur les rapports avec les épouses d'autrui et en a saisi tous les aspects ne doit pas être trompé par ses femmes.

Ainsi font les femmes des autres. C'est pourquoi le mari doit veiller sur la vertu de son épouse. Un homme habile, qui a appris dans le Shastra les moyens de séduire les femmes des autres, n'est jamais trompé par la sienne.

Kama Sutra

la vie
de
l'épouse

La femme doit toujours être attentive aux désirs de son mari, surtout si elle est son unique épouse. S'il en a plusieurs, cela risque de poser des problèmes pour l'épouse principale, qui doit veiller à sa conduite à l'égard des autres épouses.

Le rôle de l'épouse

Une fille doit épouser un garçon d'au moins trois ans son aîné, ni supérieur ni inférieur à elle, mais de son milieu, donc, en principe, de sa propre caste. L'égalité est l'une des conditions indispensables à la réussite du mariage, lorsque les conjoints ont les mêmes plaisirs, les mêmes goûts, les mêmes divertissements et les mêmes intérêts. Cela étant, une fille qui a le choix entre plusieurs prétendants, tous impatients de l'épouser, doit accorder sa main à celui qu'elle aime, qu'elle croit respectueux et fidèle et dont elle pense qu'il pourra lui procurer du plaisir. L'épanouissement du couple dans la sexualité est absolument essentiel pour une relation durable. L'homme peut avoir deux sortes d'unions : avec une épouse ou avec plusieurs épouses ; bien entendu, selon la situation, le rôle que l'épouse aura dans la vie de son mari s'en trouvera affecté. L'épouse unique aime son mari et lui fait totalement confiance, elle garde pour lui une place dans son cœur, le considère comme un dieu et lui est entièrement dévouée. Celle qui doit s'accommoder de la présence des autres épouses a le même comportement dans l'absolu, mais elle risque de se heurter à des difficultés supplémentaires dans des situations pouvant la mettre encore plus mal à l'aise.

Une fille très convoitée doit épouser l'homme qui lui plaît, qui a sa confiance et est capable de lui donner son plaisir.

Kama Sutra

Mariage d'amour

Une jeune fille qui désire se marier par amour et non par goût de l'argent doit d'abord prendre en considération le tempérament ou les qualités du futur époux. Une femme mariée à un homme riche, surtout s'il a choisi d'avoir plusieurs épouses, ne s'attache guère à son conjoint et lui fait même parfois des infidélités. Bien qu'elle semble réunir tous les signes extérieurs du bonheur dans sa vie conjugale, elle reste parfois insatisfaite, ce qui peut l'obliger à se tourner vers d'autres hommes pour son réconfort et son plaisir physique. Quand elle est seule avec son maître, elle doit le servir et ne pas lui dire la peine qu'elle éprouve en pensant à sa rivale. Une femme d'humeur égale qui se comporte selon les préceptes des livres sacrés saura gagner la fidélité de son conjoint et pourra même bénéficier d'une certaine supériorité sur ses rivales. Elle ne doit jamais exprimer les sentiments qu'elle nourrit à son égard, pas plus qu'il ne doit révéler son amour pour elle, qu'ils soient ou non tentés de le faire par orgueil ou dans un accès de colère, car l'homme traite avec mépris l'épouse qui ose dévoiler ses secrets.

Les épouses des hommes riches, lorsqu'elles sont plusieurs, ne sont généralement pas attachées à leur mari et ne leur livrent aucune confidence ; et bien qu'elles obtiennent toutes les satisfactions extérieures de l'existence, elles ont souvent recours à d'autres hommes.

Kama Sutra

Soumise et respectueuse

La femme doit toujours accueillir les amis de son mari avec des colliers de fleurs, du santal et du bétel, comme le veut la tradition dans toute bonne maison. Elle doit se montrer soumise et respectueuse dans les relations avec ses beaux-parents, approuver ce qu'ils apprécient et ne jamais les contrarier. Elle doit acheter des poteries et des ustensiles en bambou, en bois, en cuir, en fer et en cuivre au meilleur prix, mais aussi du sel, de l'huile et des épices qu'elle conserve dans des récipients d'usage courant et cache les pots contenant des denrées plus rares. Elle s'assure que les domestiques s'acquittent correctement de leurs tâches. Elle étale ses dépenses après avoir calculé ses revenus annuels et tient une comptabilité serrée. Elle se consacre à de multiples activités : elle fait du beurre avec les restes de lait, prépare de la mélasse avec de la canne à sucre et de l'huile avec le colza, file le coton et fabrique du tissu avec le fil, conserve l'eau de riz, le son du blé et le charbon brûlé pour les réutiliser. Elle veille à mettre le vin et les liqueurs en réserve dans des jarres pour avoir ce qu'il faut en cas de besoin. Elle ne doit pas rire trop fort, ce qui serait vulgaire, ni s'exciter dans les divertissements et les jeux.

Dans ses relations avec son beau-père et sa belle-mère, elle doit être soumise et ne pas les contredire, parler doucement devant eux et ne pas rire trop fort, se montrer d'accord avec ce qui leur plaît et, pour ce qui leur déplaît, agir de manière à ne pas les contrarier.

Kama Sutra

Travaux domestiques

Une femme vertueuse doit se conformer en tout point
aux désirs de son époux. Avec son consentement, elle est
responsable de la bonne marche du foyer. Elle se consacre
à des tâches ménagères, s'occupe de laver le linge, ranger
la maison, composer des bouquets de fleurs, nettoyer les sols
tout en restant la femme la plus séduisante. Elle accomplit
les trois rites quotidiens d'offrande aux dieux qu'elle vénère
dans le sanctuaire domestique. Elle prépare le terrain pour
y semer des rangées de plantes aromatiques − coriandre,
gingembre, jasmin − et de légumes − épinards, fenouil, etc.
Elle évite tout contact avec les mendiants, les moines errants
bouddhistes, les filles de mauvaise vie, les diseuses de bonne
aventure ou les sorcières. Elle présente toujours à son mari
les aliments et les boissons qu'il préfère. Et dès qu'elle entend
sa voix au-dehors, elle vient l'accueillir à l'entrée, radieuse,
souriante, élégamment vêtue et parée de tous ses bijoux, en
lui disant : « Quels sont vos ordres ? », toujours prête à exaucer
ses vœux. Elle observe le moindre indice qui lui permet
de deviner ce qu'il désire. Après avoir congédié les serviteurs,
seule avec lui, elle s'incline à ses pieds. Enfin, elle doit
s'endormir après lui et s'éveiller avant lui.

*Une femme vertueuse qui a de l'affection pour son mari se
conforme à ses désirs, comme s'il était un être divin ; avec son accord,
elle prend sur elle toute la charge du ménage. Elle veille à la propreté
de la maison tout entière, dispose dans les différentes pièces des
fleurs d'espèces et de nuances variées.*

Kama Sutra

Le bien-être de son époux

Une épouse dévouée fait son possible pour veiller au confort de son mari, quels que soient son milieu, son histoire ou son passé. Elle peut être issue d'une grande famille de la noblesse, avoir été mariée dès son plus jeune âge et être devenue veuve avant même d'avoir atteint la puberté, puis s'être remariée ou même avoir été concubine. Tout cela n'a aucune importance. Quels que soient ses origines ou son passé, dorénavant elle n'a plus qu'un seul désir : tout faire pour contenter son époux, donc mener une vie absolument irréprochable. Les femmes qui agissent ainsi sont protégées par leur bonne conduite et peuvent alors prétendre réaliser les trois buts de la vie auxquels aspire tout être humain : Dharma (la pratique de la vertu et la recherche spirituelle comme l'enseignent les écritures), Artha (l'acquisition de biens matériels) et Kama (l'amour, l'érotisme et la prise de conscience des plaisirs des sens que l'on apprend à l'aide du *Kama Sutra*). Cette conduite exemplaire leur vaut l'attachement du conjoint et leur assure en retour le titre enviable d'épouse unique, ce qui leur évite la menace d'éventuelles rivalités avec les autres épouses.

La femme, qu'elle soit issue d'une famille noble, veuve vierge remariée ou concubine, doit mener une vie chaste, être dévouée à son mari, et ne rien négliger pour son bien-être. Les femmes qui agissent ainsi acquièrent Dharma, Artha et Kama, obtiennent une haute position et s'attachent généralement le cœur de leur mari.

Kama Sutra

Un mari absent

Lorsque son mari part en voyage dans des contrées lointaines, la femme doit vaquer seule à ses occupations domestiques. Elle ne porte aucun des insignes du mariage, ni aucun bijou, passe ses journées en dévotions, en prières et en abstinence. Elle se consacre à son intérieur en accomplissant toutes les tâches quotidiennes que lui a enseignées son mari. Elle dort à côté de ses beaux-parents et suit leurs instructions. Durant cette période, elle partage ses activités entre les fêtes pour les enfants et la vérification des comptes. Elle ne rend visite à sa famille qu'en cas de maladie ou de deuil ou pour une fête religieuse et doit toujours être accompagnée dans ces occasions par des membres de la famille de son mari qui peuvent témoigner de la respectabilité de son séjour. Elle ne doit pas s'absenter trop longtemps de peur de vexer ses beaux-parents et elle ne sort jamais sans être accompagnée. Quand son mari revient de voyage, elle garde les vêtements qu'elle portait durant son absence et ne doit pas se faire trop belle pour l'accueillir. Tous deux ensemble vénèrent les dieux, après quoi, elle fête son retour à la maison.

Pendant l'absence de son mari, elle ne garde pas sur elle les marques de la femme mariée ni ses bijoux, elle se consacre à la prière et s'occupe des tâches ménagères selon les règles établies par son mari.

Kama Sutra

Une rigoureuse hiérarchie

Lorsque les épouses sont en nombre, il existe entre elles une stricte hiérarchie qu'elles sont tenues d'observer. L'épouse la plus âgée propose ses services et donne des conseils aux plus jeunes, et toutes doivent traiter les enfants des autres comme les leurs. La plus âgée doit s'associer avec celle qui arrive immédiatement après elle selon son rang et son âge.

Elle provoque une dispute entre la préférée du moment et celle qui bénéficiait encore récemment des faveurs du mari. Sans avoir l'air d'être l'instigatrice du conflit, elle fait passer l'épouse favorite pour une femme désagréable et intrigante. Il faut toujours qu'elle cherche à envenimer les relations entre la favorite et l'époux et, s'il s'avère qu'il continue à lui accorder la préférence, elle s'arrangera pour tenter de les réconcilier, ce qui la valorisera aux yeux de son mari. La plus jeune doit respecter la plus âgée, qu'elle considère comme sa mère, et ne doit rien dévoiler de la vie du foyer sans la permission de son aînée. Elle doit prendre encore plus soin des enfants des épouses plus âgées que des siens.

S'il y a plusieurs autres épouses avec elle [...], la plus jeune doit considérer la plus ancienne femme de son mari comme sa mère et ne rien dire, même à ses parents, sans l'en avoir d'abord informée. Elle doit lui faire part de tout ce qui la concerne et n'approcher du mari qu'avec sa permission.

Kama Sutra

la vie
de la
courtisane

La courtisane, à l'instar de l'épouse, doit se montrer parfaitement conscientе de ses obligations et de ses responsabilités. Toute courtisane digne de ce nom doit observer un code de conduite rigoureux, tant pour réussir sa vie que pour trouver le bonheur.

Le plaisir et l'argent

En couchant avec un homme, la courtisane reçoit à la fois
le plaisir de l'acte sexuel et l'argent qui lui assure, par
conséquent, ses moyens de subsistance. Elle vit du fruit de ses
transactions. Le plaisir est son gagne-pain et elle le monnaie.
Pour recevoir le salaire de l'amour, l'attrait érotique peut être
réel ou simulé. Quand le désir de jouissance est authentique
et plus fort que le goût de l'argent, le rapport est spontané et
la jouissance immédiate. Mais si l'appât du gain prédomine,
le désir est feint et elle n'éprouve pas de réel plaisir. Dans ce
cas, elle doit néanmoins prétendre être amoureuse de l'amant
et il est important qu'elle le lui fasse croire. Pour l'attirer,
la courtisane ne parle pas d'argent, mais elle se montre plutôt
enflammée. Elle persuade l'amant que son désir est spontané
et il semble ainsi tout naturel qu'elle soit payée en retour.
Elle n'accorde jamais ses faveurs sexuelles sans recevoir
son dû. Elle doit affirmer son pouvoir et ne jamais négliger
ses intérêts.

*En commerçant avec les hommes, les courtisanes s'assurent leur
plaisir sexuel et leurs moyens d'existence. Si elles accueillent un
homme par amour, l'acte est naturel ; mais si elles s'adressent à lui
pour gagner de l'argent, l'acte d'amour devient alors artificiel ou forcé.*

Kama Sutra

La parure

Une courtisane doit toujours être élégamment vêtue et
joliment parée de bijoux pour attirer l'attention des hommes
qui croisent son chemin. Mais il ne faut pas qu'elle paraisse
dévergondée, car cela aurait pour effet immédiat de diminuer
sa cote de moitié. Elle s'assoit là où les passants peuvent
facilement la voir et évite les décolletés. Sa valeur marchande
se rapproche de celle des produits que l'on vend dans les
bazars. Elle doit engager un souteneur qui attire le chaland,
rompt son attachement aux autres prostituées, assure sa
protection et lui sert de garde du corps. Beaucoup de gens
conviennent pour ce type d'occupation : gardiens ou
policiers, avocats, astrologues, lettrés, intendants, fleuristes
ou moines mendiants. La courtisane ne doit coucher avec
un homme que s'il est riche et indépendant. Elle peut
fréquenter un homme qui n'a pas d'attaches, un personnage
influent auprès du roi ou de ses ministres, un fils unique dont
le père est fortuné ou un individu ayant d'autres excellentes
qualités qu'elle peut convoiter pour l'amour et la gloire.

*Une courtisane joliment habillée et parée de ses bijoux doit se
tenir assise ou debout devant sa maison et, sans trop s'exposer,
regarder dans la rue de manière à être remarquée des passants, comme
une marchandise exposée à la clientèle.*

Kama Sutra

Experte en amour

Une courtisane doit être belle, jeune, douce et douée
dans l'art de la conversation d'agrément. Prête aux relations
sexuelles, elle apprécie les hommes pour leurs qualités
affectives et pas seulement pour l'argent. Experte en amour,
elle a toujours des rapports affectueux avec une préférence
pour les liaisons sentimentales de longue durée. Elle sait ce
qu'elle veut et suit ses inclinations. Elle est avide de parfaire
ses connaissances, se montre généreuse et aime les réceptions.
Elle doit éviter de s'associer avec un homme qui n'est pas fait
pour elle, qu'il soit malade, phtisique, avec des vers dans
les intestins ou une mauvaise haleine, épris de sa femme
ou brutal, ayant l'habitude de frapper son épouse ou
ses domestiques. Il ne faut jamais sacrifier l'argent à l'amour,
mais toujours le préférer à l'amour. Une femme doit juger
de l'importance de son partenaire avant de décider si elle va
coucher avec lui ou pas et, lorsqu'on lui fait une proposition,
elle ne doit jamais l'accepter d'emblée. Les hommes n'ont
aucun respect pour les femmes faciles, car ce qui est trop
facile, dit-on, n'a aucune valeur.

*Lorsqu'une courtisane rencontre des hommes, elle doit rechercher
autant l'argent que le plaisir.*

Kama Sutra

Marques d'affection

La courtisane demande à son secrétaire d'amener l'amant jusque chez elle sous prétexte de voir un combat de cailles, de coqs ou de béliers, écouter parler des mainates ou des perroquets, ou assister à un spectacle. Lorsqu'il se présente à sa porte, elle doit lui témoigner certaines marques d'affection en lui offrant, par exemple, un cadeau en signe de plaisir, de curiosité et d'amour. Après une agréable conversation, elle ordonne à l'un de ses serviteurs de le raccompagner chez lui. Pour mieux percer ses intentions, elle lui envoie un cadeau, mais ne lui permet pas d'entrer à l'intérieur de la maison. Le secrétaire explique au prétendant qu'elle s'apprête à partir en voyage et l'invite à revenir plus tard. Quand il la revoit, il lui offre un mélange de noix et de feuilles de bétel, des guirlandes de fleurs et des produits de beauté. En signe d'amitié, elle lui remet un cadeau en échange et lui indique qu'elle est disposée à coucher et à avoir une liaison amoureuse avec lui.

Lorsque l'homme arrive chez elle, la femme lui offre un objet pouvant aiguiser sa curiosité et le rendre amoureux, tel un présent d'amour [...]. Elle l'amuse pendant un long moment en lui racontant des histoires et en étant très avenante à son égard.

Kama Sutra

Vivre en épouse

Pour charmer l'amant auquel elle tient, la courtisane se
conduit en épouse fidèle et s'efforce de lui plaire. En jouant
ce rôle, elle n'a pas à se préoccuper d'un trop grand nombre
de prétendants tout en jouissant de l'aisance matérielle. Elle
séduit son amant en lui déclarant sa flamme, après lui avoir
avoué que c'est la première fois qu'elle s'attache à quelqu'un ;
toutefois, elle ne doit pas en tomber réellement amoureuse.
Les questions d'argent passent encore au second plan, bien
qu'elle lui parle de sa mère dominatrice (ou en invente une
pour les besoins de la cause), dont elle dépend et qui veille
sur l'argent de sa fille comme sur son principal intérêt dans la
vie. La courtisane doit prétexter une maladie soudaine – rien
de grave ni de contagieux ! – pour aller coucher ailleurs
avec d'autres amants. Elle lui enseigne les soixante-quatre arts
en prétendant être son élève et, quand ils font l'amour,
elle feint de tout ignorer des techniques érotiques. Il est ainsi
convaincu que c'est grâce à ses efforts qu'elle éprouve
du plaisir.

*Lorsqu'une courtisane vit avec son amant comme si elle était
mariée, elle doit se comporter en femme vertueuse et le satisfaire en
tout point. En somme, elle se fait un devoir de lui procurer du plaisir ;
mais il ne faut pas qu'elle s'attache à lui, même si elle prétend le
contraire.*

Kama Sutra

Ses moyens de subsistance

Une fois qu'elle tient un amant à sa disposition, la courtisane en tire ses moyens de subsistance. Elle gagne sa vie de deux façons : en règle générale, la somme qu'elle perçoit représente ni plus ni moins le salaire de l'amour. Mais, selon Vatsyayana, la femme peut persuader l'amant de lui verser le double du prix normal en usant de certains procédés. Elle peut lui soutirer de l'argent sous prétexte d'acheter des confiseries et autres produits alimentaires, des vêtements, des fleurs ou des parfums et, en définitive, ne pas le faire ou expliquer qu'ils lui ont coûté plus cher qu'en réalité. Ou bien elle le flatte et l'incite à faire preuve de générosité. Elle dit avoir besoin d'acheter des cadeaux à l'occasion de fêtes religieuses et lui demande sa contribution en gage d'affection. Elle peut prétendre avoir eu ses bijoux volés pendant qu'elle se rendait chez lui. Ou se déclarer ruinée après l'incendie de sa maison, qui a entièrement brûlé. Ou annoncer qu'elle a engagé des artistes pour lui présenter un divertissement. Ou avoir aidé à régler les frais de la cérémonie nuptiale du fils d'une amie. Ou se faire passer pour malade et avoir un traitement onéreux à payer.

L'argent d'un amant s'obtient de deux façons : par des moyens naturels ou légitimes et par des artifices [...]. Vatsyayana est d'avis que [...] en usant d'artifices, elle obtient le double du prix, aussi a-t-elle recours à l'artifice pour lui soutirer de l'argent de toute manière.

Kama Sutra

Se défaire de son amant

Lorsqu'une courtisane pressent que la séparation est inévitable – peut-être parce qu'elle veut prendre un autre amant ou qu'elle a constaté un changement d'attitude de sa part, ou bien qu'il lui donne trop peu d'argent –, elle peut se détacher de son amant de deux manières : être franche sur ses intentions ou agir subrepticement. Si elle opte pour la discrétion, elle l'exaspère par des gestes déplaisants, éconduit ses baisers, recherche la compagnie d'autres hommes, refuse de faire l'amour avec lui, s'oppose aux morsures et aux griffures qu'il veut lui infliger, prétexte la fatigue, l'interrompt dans ses récits ou se défend de le voir. Dans tout cela, elle n'a rien à se reprocher : elle exerce son métier pour gagner sa vie et, en couchant avec elle, l'homme ne doit pas chercher à nouer de relations plus étroites, car elle ne pense qu'à l'argent. Elle a donc la conscience tranquille.

Si une courtisane a l'intention de se séparer d'un amant pour en séduire un autre ou si elle a des raisons de croire qu'il ne va pas tarder à la quitter pour rejoindre ses épouses [...], dans ce cas, elle doit essayer de lui soutirer le plus d'argent possible et au plus vite.

Kama Sutra

toniques
et
potions

$\mathcal{S}$i l'on n'est pas gâté par la nature, il ne faut pas hésiter à user d'artifices pour atténuer certains défauts aux yeux du monde. Il ne faut pas craindre non plus de consommer des aphrodisiaques pour parvenir à des relations sexuelles plus satisfaisantes.

Soins de beauté

La beauté dépend de facteurs aussi divers que la couleur de la peau ou des cheveux et la forme physique. Certaines qualités intrinsèques sont valorisantes, alors que d'autres se dégradent avec l'âge. L'aspect séduisant est probablement le moyen principal et le plus naturel de se rendre agréable aux yeux des autres, mais si la beauté physique laisse à désirer, il ne faut pas hésiter à user d'artifices pour gommer les imperfections. On s'enduit, par exemple, le visage et le corps d'onguents et de crèmes à base de racines, de feuilles et de fleurs aromatiques de différentes espèces, dont les propriétés développent spontanément l'attrait sexuel. Parmi ces compositions figure, entre autres, la poudre de *Taberna montana coronaria*, de *Costus speciosus* ou *arabicus* et de *Flacourtia cataphracta*. Cet onguent appliqué sur les cils s'obtient en badigeonnant une mèche de coton avec lesdits ingrédients que l'on fait brûler avec de l'huile de vitriol bleu et du pigment noir ou noir de fumée. Il a pour effet immédiat d'embellir le regard.

Ces plantes sont réduites en une poudre fine appliquée sur la mèche d'une lampe que l'on fait brûler avec de l'huile de vitriol bleu : le pigment noir ou noir de fumée qui en est extrait se met sur les cils et a la vertu d'accroître la séduction du regard.

Kama Sutra

Sources d'attrait sexuel

Plusieurs autres recettes intéressantes permettent d'obtenir des onguents aux vertus mirifiques. Les racines de *Boerhavia diffusa*, *Costus speciosus*, *Ethita pulescens*, *Hermidermus indicus* et *Barleria prionitis*, par exemple, sont mélangées et cuites dans de l'huile additionnée de feuilles de nymphéa ou de lotus bleu. Cette crème de massage pour le corps accroît la beauté, le charme érotique, et est même censée porter chance. Pour agrémenter le tout, il est recommandé de porter un collier composé des mêmes fleurs, qui rehausse encore davantage l'aspect séduisant de la silhouette. On peut aussi concocter une potion à base de plantes pour renforcer le pouvoir de séduction. En voici la recette : écraser des fleurs de lotus bleu et de lotus rose mélangées à du safran de serpent, faire sécher ce mélange et le consommer après l'avoir dilué dans du miel et du beurre clarifié. Cette douceur a aussi des vertus purgatives immédiates. Mais il faut attendre un mois avant d'en constater les effets sur l'aspect extérieur.

Écraser des fleurs de lotus rose et de lotus bleu mêlées à du safran de serpent. Laisser sécher. Si l'on consomme ces ingrédients avec du miel ou du ghî, cela rend attrayant.

Kama Sutra

Moyens de séduction

Il existe de nombreuses recettes magiques que l'on peut utiliser à coup sûr pour mener une opération de charme. En voici plusieurs exemples. Un homme qui s'enduit le sexe d'un mélange de graines de datura, de poivre noir et de poivre long écrasés dans du miel, sans que la femme le sache, saura l'envoûter et la soumettre à ses moindres désirs. S'il prépare un mélange composé d'une feuille apportée par le vent, de santal mis sur un cadavre et de poudre d'os de paon, et s'enduit la verge de cet onguent avant de faire l'amour, son pouvoir de séduction sera instantané. S'il réduit en menus morceaux des pousses d'*Euphorbia thymifolia* saupoudrées d'arsenic rouge et de soufre pulvérisé, les fait sécher sept fois, puis mélange cette poudre à du miel et s'enduit la verge avec, la femme lui sera entièrement soumise. Et s'il ajoute à cette substance des excréments de singe d'une espèce à la tête colorée et en saupoudre le corps de sa partenaire, celle-ci n'éprouvera d'attirance pour personne d'autre.

Hachez menu des pousses de vajna sunhi, plongez-les dans un mélange d'arsenic rouge et de soufre, et faites-les sécher sept fois : en appliquant cette poudre mêlée au miel sur votre linga, vous soumettrez la femme à votre pouvoir dès que vous la posséderez.

Kama Sutra

La science des aphrodisiaques

Même si un homme parvient à séduire une femme, ses efforts seront vains si son impuissance le rend incapable de consommer l'union. La science des aphrodisiaques est ainsi décrite pour permettre d'accroître la virilité au moyen, par exemple, d'un élixir composé d'un mélange de racine d'ail, de poivre blanc et de réglisse cuit dans du lait de vache sucré, puis qu'on laisse refroidir. Cette potion améliore la performance sexuelle et augmente l'écoulement de sperme. On recommande aussi de faire bouillir des testicules de bélier dans du lait sucré et de boire ce liquide, qui exalte la virilité. Une autre recette consiste à écraser des racines de patate douce dans du lait de vache, additionné de certaines graines, de sucre, de miel et de beurre clarifié. Cette pâte est utilisée pour faire des biscuits avec de la farine de blé. Celui qui en mange une grande quantité acquiert une telle virilité qu'il est capable de coucher avec des milliers de femmes qui finiront par lui demander pitié.

Écraser des racines de vidari dans du lait de vache, avec des graines de svayamgupta, du sucre, du miel et du ghî et en faire des biscuits avec de la farine de blé. Celui qui en est rassasié peut jouir d'un nombre de femmes illimité, nous disent les anciens maîtres.

Kama Sutra

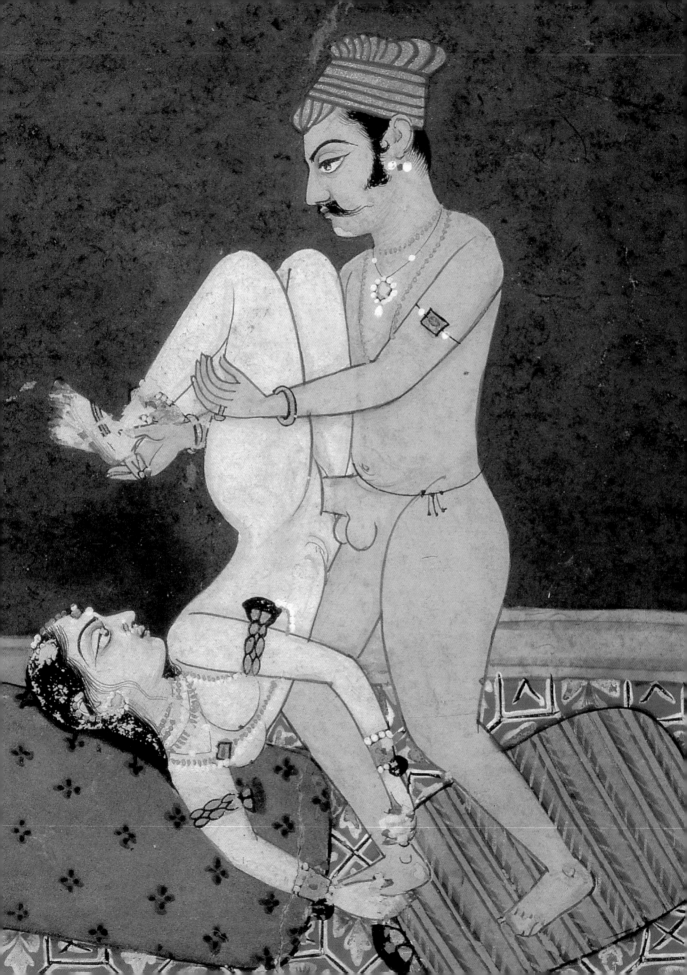

Activer la vigueur sexuelle

Plusieurs formules aphrodisiaques permettent de compenser les faiblesses organiques et le manque d'excitation. L'homme doit étudier ces procédés non seulement dans les traités d'*Ayurveda,* mais aussi dans les ouvrages de médecine, les livres sacrés et autres écrits. Il peut également s'initier auprès de savants compétents, de médecins et de magiciens expérimentés connaissant les formules magiques. Il convient d'éviter toute pratique qui risque de faire mal, blesser ou nuire à la santé du corps, qui oblige à tuer des animaux ou à mélanger des produits avec des substances impures. En outre, il est important de s'en tenir aux formules consacrées, réputées saines et qui sont recommandées par des gens expérimentés dans ce domaine ou par des amis sûrs qui veulent votre bien.

Les moyens d'exalter l'amour et la vigueur sexuelle sont enseignés par la science médicale, les Veda, les gens initiés à l'art de la magie, les parents ou les amis intimes. On ne doit utiliser aucun produit [...] susceptible de détériorer le corps, provoquer la mort d'un animal ou être en contact avec des substances malpropres.

Kama Sutra

Développer l'instrument

La grosseur du pénis varie considérablement, du très petit au très gros calibre. Pour gonfler un phallus de taille insuffisante, on peut avoir recours à divers artifices. Un homme sensuel et érotique qui envisage d'entreprendre une telle opération doit s'informer auprès d'un expert. L'une des méthodes consiste à frotter le membre viril pendant dix nuits avec les poils d'un insecte arboricole très particulier. Les autres créatures qui vivent sur les arbres ne conviennent pas. Il suffit de prendre l'insecte avec une pince et de le frotter sur les côtés de la verge. Usés par le frottement continuel, les poils de l'insecte se détachent. Il faut alors les étaler et les faire pénétrer dans la peau en massant avec de l'huile, ce qui provoque une enflure. Lorsque le pénis est suffisamment gonflé, l'homme se met à plat ventre sur un lit en glissant son sexe dans un orifice conçu à cet effet pour qu'il s'allonge. Une fois que le résultat est concluant, on supprime la douleur en appliquant sur la verge une pommade composée de cinq astringents. Le gonflement induit par cette méthode est permanent et dure pour la vie.

Lorsqu'un homme désire élargir son linga, il doit le frotter avec les poils de certains insectes vivant sur les arbres ; puis, après l'avoir massé avec des onguents pendant dix nuits, il renouvellera les applications avec les mêmes poils d'insecte. En persévérant de la sorte, il obtiendra un gonflement graduel du linga.

Kama Sutra

Trop large ou trop étroit

La taille du pénis est tout aussi variable que la forme du vagin, qui est de très grande largeur chez la femme éléphant et vraiment minuscule chez la biche. Il existe plusieurs techniques pour en corriger les dimensions si la femme s'en plaint et y voit la source de ses malheurs, en particulier si la forme de son sexe n'est pas compatible avec celle de son conjoint. Ainsi, la femme éléphant qui est soucieuse de la taille énorme de son organe doit écraser des graines d'*Asteracantha longifolia,* une plante aquatique aux fleurs blanches, qu'elle applique sur sa vulve. Grâce à ce traitement, même le sexe le plus large se resserrera en une nuit et deviendra aussi étroit que celui d'une femme biche. À l'inverse, pour élargir la vulve d'une biche, il faut mélanger des graines de lotus rose et de lotus bleu à de la poudre d'une solanacée, *Physalis flexuosa,* le tout dilué dans du beurre clarifié et du miel. Le temps d'une nuit, la vulve s'élargit miraculeusement pour atteindre la même dimension que chez la femme éléphant.

L'application d'un onguent fait avec le fruit de l'Asteracantha longifolia (kokilaksha) contractera le yoni de la femme hastini ou éléphante pour une nuit. Un mélange de racines de Nelumbium speciosum et de lotus bleu pilées et de poudre de Physalis flexuosa, additionné de ghî et de miel, élargira le yoni de la femme miringi, ou biche.

Kama Sutra

Index

adultère, 129-135

âges, 17

alimentation, 25

animal, modèle, 125

aphrodisiaques, 183-185

argent, courtisanes, 171

Artha, 17, 49, 153

Babhravya, 33

baiser, 37, 73

battre, 35, 119-123

bétel, 23, 73

Burton, sir Richard, 13

caractéristiques sexuelles, 35, 81-93

coït buccal, 97-109

corbeau, 109

coups, 35, 119-123

cour, faire la, 47-61

courtisane, 159-173

cunnilingus, 97

Daniélou, Alain, 13

dents, morsure, 115

Dharma, 17, 49, 153

divertissement, 27, 29

douleur, 35, 121

durée de l'union, 91-93

éjaculation, 91

enfance, 17

épouse :

  hiérarchie, 157

    mariage, 49-61, 145-147

    rôle, 145-157

eunuque, 97-107

fellation, 97-109

femme biche, 39, 81-85, 189

femme éléphant, 39, 81, 83, 87, 189

femme jument, 81-87

foyer, 21, 151

frapper, 119-123

gémissements, 121, 123

griffures, 113,117

harem royal, 137-141

hiérarchie des épouses, 157

homme cheval, 39, 81–85

homme lièvre, 81, 83, 87

homme taureau, 81–87

J

jeux érotiques, 69

K

Kama, 17, 49, 153

M

mari absent, 155

mariage, 49–61, 145–147

morsures, 115, 117

O

ongles, griffures, 113

onguents, 177–181

orgasme :

    durée de l'union, 91–93

P

Panchala, 33

parents, rôle des, 51–53

parfum, 23

pénis :

    coït buccal, 97–107

    dimension, 39, 81–87

    élargir, 187

    moyens de séduction, 181

poils du corps, 23

potions, 179–183

produits de beauté, 177

prostitution, 97

S

sexualité de groupe, 125

soixante-quatre doctrines, 33, 45

souteneur, 163

sperme, aphrodisiaques et, 183

sutra, 9

U

union égale, passion, 83–91

union inégale, 83–91

V

vagin, dimension, 39, 81–87, 189

Vatsyayana, Mallanaga, 9–11

vieillesse, 17

vierge, mariée, 63–77

violence, 111–123

visage, soins de beauté, 177

vulve :

    coït buccal, 109

    dimension, 39, 81–87, 189

Directrice éditoriale	Jane McIntosh
Éditeurs	Kate Day et Nicola Hodgson
Directeur artistique	Keith Martin
Chef de studio	Bryan Dunn
Responsable de la conception	Claire Harvey
Designers	Charlotte Barnes et Adrian Hutchins
Documentaliste	Wendy Gay
Directrice de fabrication	Lucy Woodhead

Couverture :
À gauche : CHRISTIE'S IMAGES. En haut à droite : BRIDGEMAN ART LIBRARY/
VICTORIA & ALBERT MUSEUM, LONDRES

AKG, LONDRES/British Library, Londres : 20/Chandigarh Museum : 36/Jean-Louis Nou : 10, 68, 70, 94, 116, 144,
156, 166/National Museum of India, New Delhi : 40.
BRIDGEMAN ART LIBRARY, LONDRES-NEW YORK/Ashmolean Museum, Oxford :
140/British Library : 12, 14, 16, 18, 44, 46, 58, 176/Fitzwilliam Museum, University
of Cambridge : 30, 86, 88, 170/National Museum of India,
New Delhi : 48, 52, 64, 66, 72, 180/Coll. part. 24, 32, 38, 54, 90, 92, 96, 110, 124, 138, 148, 160, 162, 168, 182, 184,
188/Victoria & Albert Museum, Londres : 34, 60, 62, 98, 100, 106, 108, 112, 122, 142, 150, 158/Victor Lownes Coll.,
Londres : 78.
CHRISTIE'S IMAGES : 8, 28, 50, 76, 132, 152, 154, 172, 178.
CORBIS-BETTMANN, Philadelphia Museum of Art : 136.
E.T. ARCHIVE/British Library : pages de garde, 7, 9, 11, 13, 22, 33, 35, 37, 39, 41, 43, 45, 47, 49, 51, 53, 55, 56, 57, 59,
61, 130, 143, 145, 149, 151, 153, 155, 157, 164/E.T. ARCHIVE : 80, 82, 84, 97, 99, 101, 102, 103, 104, 105, 107, 109,
113, 115, 117, 119, 121, 123, 125, 126, 128, 186/Galerie Marco-Polo, Paris : 6, 26/Marjorie Shoosmith : 1-2, 95,
111/Victoria & Albert Museum, Londres : 3-4, 15, 17, 19, 21, 23, 25, 27, 29, 31, 63, 65, 67, 69, 71, 73, 74, 75, 77, 79,
81, 83, 85, 87, 89, 91, 93, 127, 129, 131, 133, 134, 135, 137, 139, 141, 146, 159, 161, 163, 165, 167, 169, 171, 173, 174,
175, 177, 179, 181, 183, 185, 187, 189.
WERNER FORMAN ARCHIVE/Coll. part. : 5, 42, 114/Coll. Philip Goldman :
118, 120.

~ remerciements ~